W9-AQB-069

Chicago Public Library
McKinley Park Branch
1915 W. 35th St.
Chicago, IL. 60609

WILLIAMS-SONOMA

COCINA AL INSTANTE
comidas sencillas

RECETAS

Melanie Barnard

EDITOR GENERAL

Chuck Williams

FOTOGRAFÍA

Bill Bettencourt

TRADUCCIÓN

Laura Cordera L

Concepción O. de Jourdain

contenido

30 MINUTOS DE PRINCIPIO A FIN

15 MINUTOS DE PREPARACIÓN

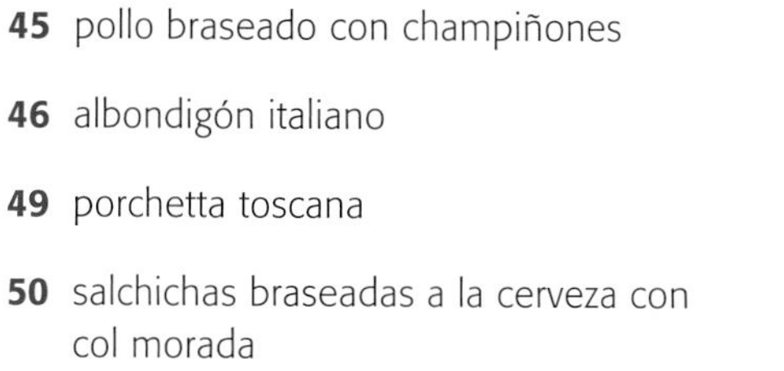

HAGA MÁS PARA ALMACENAR

la razón de este libro

La gente a menudo está tan ocupada que no cuenta con mucho tiempo para cocinar. El libro *Comidas Sencillas* de la serie Cocina al Instante confirma la noción de que un platillo saludable preparado en casa es insustituible. En las siguientes páginas encontrará recetas diseñadas para enseñarle que los ingredientes más sencillos preparados correctamente, pueden hacer platillos rápidos y sustanciosos para cualquier día de la semana.

Los platillos clásicos como la crujiente Milanesa de Puerco con Arúgula, la sabrosa Pollo Saltimbocca y el jugoso Filete a la Pimienta pueden llevarse a su mesa en menos de 30 minutos. Otras recetas que se incluyen son el saludable Guisado de Res al Balsámico y el delicioso Pollo Frito al Horno, las cuales tomarán sólo 15 minutos de preparación. Las recetas como el tradicional Lomo de Cerdo Asado con Salsa a la Sartén rinden lo suficiente para comerse durante la semana y se pueden convertir en otros platillos como el Lo Mein de Puerco. Complete estos platos principales con ensaladas de hortalizas mixtas y arroz al vapor y tendrá una comida saludable con muy poco esfuerzo.

Chuck

30 minutos de principio a fin

pollo en salsa de naranja y vino riesling

Naranja, 1 grande

Pechugas de pollo sin piel, partidas a la mitad, 4, aproximadamente 750 g (1 ½ lb) en total

Sal y pimienta recién molida

Mantequilla sin sal, 3 cucharadas

Chalote, 1, finamente picado

Vino blanco Riesling u otro vino afrutado, ½ taza (125 ml/4 fl oz)

Mejorana fresca, 1 cucharada, finamente picada

4 PORCIONES

1 Prepare la naranja y el pollo

Ralle finamente 2 cucharaditas de cáscara de naranja y exprima ¼ taza (60 ml/ 2 fl oz) de jugo. Reserve ambas cosas. Coloque una mitad de pechuga de pollo entre 2 hojas de papel encerado. Usando un mazo de carnicero o la parte plana de una sartén pesada, golpee ligeramente el pollo hasta obtener un grosor de aproximadamente 12 mm (½ in). Repita la operación con las demás pechugas. Sazone generosamente con sal y pimienta.

2 Cocine el pollo

En una sartén grande sobre fuego medio-alto derrita 2 cucharadas de la mantequilla. Trabajando en tandas si fuera necesario para evitar sobre saturar, añada el pollo y cocine durante 6 u 8 minutos en total, volteando una sola vez, hasta que ambos lados estén dorados y completamente opacos. Pase el pollo a un plato.

3 Prepare la salsa

Derrita la cucharada restante de mantequilla en la sartén sobre fuego medio. Agregue el chalote y saltee cerca de un minuto, hasta que se dore ligeramente. Añada el vino, mejorana y el jugo y la ralladura reservados. Cocine cerca de 3 minutos, moviendo y raspando el fondo para desprender los trocitos dorados, hasta que la salsa burbujee y se reduzca ligeramente. Vuelva a colocar el pollo y el jugo del plato en la sartén y caliente cerca de un minuto. Sazone al gusto con sal y pimienta. Pase a un platón y, usando una cuchara, bañe el pollo con la salsa y sirva.

sugerencia del chef

Siempre ralle los cítricos antes de exprimir el jugo. Ralle solamente la parte de color de la cáscara, evitando la piel de color blanco amarga que tiene debajo. Un rallador manual es el mejor utensilio para hacer ralladura fina.

sugerencia del chef

El lemongrass o té limón, un ingrediente asiático muy popular, se puede encontrar en muchos mercados. Utilice solamente la parte del bulbo del tallo y retire las capas duras del exterior antes de picarlo. Si no encuentra té limón sustituya por una cucharada de jugo de limón amarillo y 2 cucharaditas de ralladura de limón amarillo. Añádalos junto con el ajo y el jengibre en el paso número 1.

pollo al jengibre con cebollas cambray

1 Saltee el pollo

Sazone el pollo generosamente con sal y pimienta. En un wok o una sartén grande sobre fuego alto caliente el aceite. Agregue el pollo y saltee durante 3 ó 4 minutos, hasta dorar y casi cocer completamente. Añada el ajo, jengibre, té limón y la mitad de las cebollitas de cambray; saltee cerca de 30 segundos, hasta que aromatice.

2 Termine el platillo

Añada el caldo de pollo y la salsa de pescado a la sartén, reduzca el fuego a medio y deje hervir a fuego lento durante 2 ó 3 minutos más, hasta que el pollo esté totalmente opaco y la salsa se reduzca ligeramente. Adorne con las cebollitas de cambray restantes y la menta. Acompañe con el arroz.

Pechugas de pollo sin piel, en mitades, 750 g (1 ½ lb) en total, cortadas en tiras delgadas

Sal y pimienta recién molida

Aceite de cacahuate o canola, 3 cucharadas

Ajo, 4 dientes, finamente picados

Jengibre, 3 cucharadas, finamente picado

Lemongrass (té limón), 2 cucharadas, finamente picado

Cebollitas de cambray, 4, finamente rebanadas

Caldo de pollo, ⅔ taza (150 ml/5 fl oz)

Salsa asiática de pescado, 2 cucharadas

Menta fresca, 2 cucharadas, picadas

Arroz al vapor, para acompañar

4 PORCIONES

milanesa de puerco con arúgula

Limones amarillos, 2

Migas de pan fresco molido grueso, 1 1/2 taza (90 g/3 oz)

Harina, 1/3 taza (45 g/ 1 1/2 oz)

Sal y pimienta recién molida

Huevo, 1

Milanesas de puerco, 4, aproximadamente 750 g (1 1/2 lb) en total

Aceite de oliva, 4 cucharadas (60 ml/2 fl oz)

Chalote, 1, finamente picado

Arúgula (rocket) o escarola, 185 g (6 oz), sin los tallos duros

4 PORCIONES

1 Empanice las milanesas

Ralle finamente 2 cucharaditas de ralladura de limón y exprima 2 cucharaditas del jugo de un limón. Corte el segundo limón en 8 rebanadas. Extienda las migas de pan sobre un plato. En otro plato mezcle la harina con la ralladura de limón, 1/2 cucharadita de sal y 1/4 cucharadita de pimienta. En un tazón poco profundo bata el huevo con 1 1/2 cucharadita de agua. Coloque una milanesa de puerco entre 2 hojas de papel encerado. Usando un mazo de carnicero o la base plana de una sartén, golpee la carne hasta obtener un grosor de 12 mm (1/2 in). Repita la operación con las demás milanesas. Sumerja ambos lados de la milanesa en la harina, posteriormente en el huevo y por último en las migas de pan, cubriéndolas uniformemente y presionando firmemente para que se adhieran. (Las milanesas se pueden preparar, cubrir y refrigerar hasta con 3 horas de anticipación).

2 Cocine las milanesas

En una sartén grande sobre fuego medio-alto caliente 2 cucharadas de aceite. Añada las milanesas y cocine durante 4 ó 6 minutos en total, volteándolas una sola vez, hasta dorar por ambos lados y que su centro esté ligeramente de color rosado. Pase a un plato.

3 Prepare la ensalada

Añada las 2 cucharadas restantes de aceite a la sartén sobre fuego medio. Agregue los chalotes y saltee cerca de un minuto, hasta que se suavicen. Incorpore el jugo de limón raspando los trocitos dorados pegados en el fondo de la sartén. Retire del fuego, agregue la arúgula y mezcle ligeramente para cubrir con el aderezo. Divida las milanesas en platos trinches y cubra con la mezcla de arúgula. Decore con las rebanadas de limón y sirva.

sugerencia del chef

La carne para este platillo debe de estar finamente rebanada. Pida a su carnicero que la rebane o

coloque en el congelador por lo menos durante 30 minutos o hasta por una hora para después rebanarla usted mismo. Congelándola hará que se pueda cortar fácilmente en rebanadas muy delgadas y uniformes.

salteado de res y espárragos

1 Cocine la carne y las verduras

Sazone ligeramente la res con sal y pimienta. En un tazón pequeño mezcle la salsa hoisin con el jerez, aceite de chile y ½ taza (125 ml/4 fl oz) de agua. En un wok o sartén grande sobre fuego alto caliente el aceite de cacahuate. Trabajando en tandas si fuera necesario para impedir que se sature, agregue la carne y cocine durante 2 ó 3 minutos, volteando una o dos veces, hasta sellar ligeramente. Usando una cuchara ranurada pase a un plato. Añada la cebolla y los espárragos a la sartén; cocine durante 2 ó 3 minutos, hasta que estén suaves pero crujientes. Agregue el ajo y las hojuelas de chile y saltee durante 15 segundos.

2 Termine el platillo

Vuelva a colocar en la sartén la carne y los jugos que quedaron en el plato. Agregue la salsa hoisin y mezcle. Hierva ligeramente sobre fuego bajo hasta que esté bien caliente. Divida el arroz entre platos poco profundos, cubra con la carne y los espárragos; sirva.

Filete de sirloin, 750 g (1 ½ lb), en total, en tiras delgadas

Sal y pimienta recién molida

Salsa hoisin, ¼ taza (60 ml/2 fl oz)

Jerez seco, 2 cucharadas

Aceite de chile, 1 cucharadita

Aceite de cacahuate, ¼ taza (60 ml/2 fl oz)

Cebolla amarilla o blanca, 1, finamente rebanada

Espárragos verdes delgados, 375 g (¾ lb), sin el extremo inferior y cortados diagonalmente en trozos de 2.5 cm (1 in)

Ajo, 3 dientes, finamente picados

Hojuelas de chile rojo, ¼ cucharadita

Arroz blanco al vapor, para acompañar

4 PORCIONES

penne con albahaca y piñones

Sal y pimienta recién molida

Penne u otra pasta corta, 500 g (1 lb)

Piñones, 1/3 taza (60 g/ 2 oz)

Aceite de oliva, 6 cucharadas (90 ml/3 fl oz)

Migas de pan finas, 1 taza (60g/2 oz)

Ajo, 3 dientes, finamente picados

Vino blanco seco, 1 taza (250 ml/8 fl oz)

Hojuelas de chile rojo, 1/4 cucharadita

Queso parmesano, 125 g (1/4 lb), recién rallado

Hojas de albahaca fresca, 2/3 taza (30 g/1 oz), finamente rebanadas

4 PORCIONES

1 Cocine la pasta

Hierva agua en una olla grande. Agregue 2 cucharadas de sal y la pasta. Cocine siguiendo las instrucciones del paquete, moviendo de vez en cuando para prevenir que se pegue, hasta que la pasta esté al dente. Escurra y vuelva a colocar en la olla.

2 Prepare la salsa

Mientras tanto, en una sartén grande sobre fuego medio-alto tueste los piñones alrededor de 2 minutos, moviendo continuamente hasta que aromaticen y se doren. Pase a un tazón pequeño. Añada una cucharada del aceite a la sartén, agregue las migas de pan y revuelva durante 1 ó 2 minutos, hasta que se doren. Coloque en el tazón con los piñones y mezcle. Reduzca el fuego a medio y añada una cucharada de aceite a la sartén. Integre el ajo y saltee cerca de 30 segundos, hasta que aromatice. Integre el vino y las hojuelas de chile rojo, caliente y cuando suelte el hervor reduzca el fuego y hierva a fuego lento cerca de 2 minutos, hasta que se reduzca ligeramente.

3 Termine el platillo

Integre la pasta junto con las 4 cucharadas (60 ml/2 fl oz) restantes del aceite a la salsa de vino en la sartén y mezcle para cubrir la pasta. Agregue la mezcla de migas de pan, el queso y la albahaca; mezcle. Sazone con sal y pimienta. Divida entre platos poco profundos y sirva.

sugerencia del chef

Para hacer migas de pan fresco utilice pan del día anterior ya sea de baguette o de pan campestre. O, si lo desea, deje secar rebanadas de pan en el horno a 150°C (300°F) aproximadamente 10 minutos. Rompa el pan en trozos grandes y muela en un procesador de alimentos para convertir en migas.

sugerencia del chef

Usted puede sustituir las milanesas de ternera por 4 mitades de pechuga de pollo deshuesadas y sin piel. Coloque cada mitad de pechuga entre 2 hojas de papel encerado y golpee ligeramente con un mazo de carnicero o la base de una olla gruesa, hasta obtener un grosor de 6 mm (¼ in). Acompañe con ejotes verdes salteados.

piccata de ternera

1 Cocine la ternera

Sazone la ternera con sal y pimienta. En una sartén grande sobre fuego medio-alto derrita 1 ½ cucharada de mantequilla. Agregue la mitad de la ternera y cocine cerca de 2 minutos en total, volteando una sola vez, hasta dorar. Pase a un plato. Repita la operación con 1 ½ cucharada de mantequilla y la ternera restante. Tenga cuidado de no sobre cocinar.

2 Prepare la salsa

Añada la cucharada restante de mantequilla a la sartén y derrita sobre fuego medio-alto. Agregue el ajo y saltee cerca de 30 minutos, hasta que aromatice. Añada el caldo y el vino y cocine durante 2 ó 3 minutos, raspando los trocitos dorados de la base de la sartén, hasta que la salsa se reduzca en una cuarta parte. Integre las alcaparras y deje hervir sobre fuego lento durante un minuto. Sazone al gusto con sal y pimienta e incorpore el perejil. Vuelva a colocar la ternera y su jugo en la sartén; cocine cerca de 2 minutos, hasta que se caliente por completo. Divida la ternera entre platos trinches y usando una cuchara bañe con la salsa. Sirva.

Milanesas de ternera, 8, aproximadamente 750 g (1 ½ lb) en total, aplanadas a un grosor de alrededor de 6 mm (1/4 in)

Sal y pimienta recién molida

Mantequilla sin sal, 4 cucharadas (60 g/2 oz)

Ajo, 2 dientes grandes, finamente picados

Caldo de pollo, ½ taza (125 g/4 fl oz)

Vino blanco seco, ½ taza (125 ml/4 fl oz)

Alcaparras, 2 cucharadas

Perejil liso (italiano) fresco, 2 cucharadas, picadas

4 PORCIONES

lomo de puerco enchilado con salsa de elote

Filete de puerco, 2, aproximadamente 750 g (1 ½ lb) en total

Aceite de oliva, 2 cucharadas

Sal y pimienta recién molida

Polvo de chile ancho, 2 cucharaditas

Granos de elote congelados o de lata, 1 taza (185 g/6 oz)

Comino molido, ¾ cucharadita

Cebolla amarilla o blanca, 1 pequeña, picada

Jitomate, 1 grande, sin semillas y picado

Jugo de limón, de 1 limón

Cilantro fresco, 3 cucharadas, picado

4 Ó 6 PORCIONES

1 Ase el puerco

Precaliente el horno a 230°C (425°F). Frote la carne de puerco con una cucharada del aceite y sazone generosamente con sal, pimienta y el polvo de chile. En una sartén grande sobre fuego medio-alto caliente la cucharada restante del aceite. Agregue la carne y dore por todos lados, cerca de 5 minutos en total. Pase los filetes a una charola poco profunda para asar lo suficientemente grande para darles cabida. Reserve la sartén y sus jugos. Ase el puerco durante 15 ó 20 minutos, hasta que un termómetro de lectura instantánea insertado en el centro marque entre 63°C y 65°C (145°F-150°F) y la carne esté ligeramente rosada en el centro. Pase el filete a una tabla de picar, cubra con papel aluminio y deje reposar durante 10 minutos.

2 Prepare la salsa

Mientras el filete reposa agregue el elote y el comino a la sartén con el jugo y caliente sobre fuego medio-alto. Cocine durante 3 ó 4 minutos, moviendo, hasta que los granos de elote se doren ligeramente. Retire del fuego e integre la cebolla, jitomate, jugo de limón y cilantro. Sazone al gusto con sal y pimienta. Corte el filete en rebanadas delgadas y acompañe con la salsa caliente.

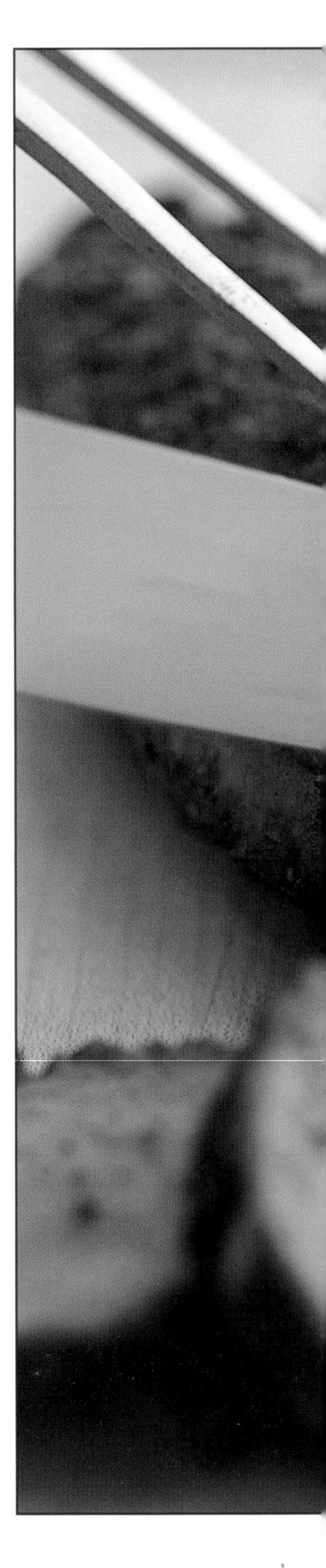

sugerencia del chef

Para completar el menú, acompañe con camote rojo dulce como guarnición. Pele 4 camotes, corte a la mitad y posteriormente en rebanadas. Mezcle con una cucharada de aceite vegetal, sal y pimienta. Acomode en una sola capa sobre una charola para hornear. Ase las rebanadas de camote con el puerco aproximadamente 20 minutos, volteándolas una vez, hasta que estén crujientes y doradas.

pechugas al ajonjolí con chícharo nieve

1 **Prepare el pollo**
Sazone el pollo con sal y pimienta, espolvoree con las semillas de ajonjolí hasta cubrir presionando firmemente para que se adhieran al pollo.

2 **Cocine el pollo y las verduras**
En un wok o sartén grande sobre fuego alto caliente el aceite de cacahuate. Agregue el pollo y cocine durante 4 ó 5 minutos, moviendo continuamente, hasta que se dore y cueza completamente. Usando una cuchara ranurada pase el pollo a un plato. Añada el pimiento, chícharo y ajo. Saltee durante 1 ó 2 minutos, hasta que las verduras estén ligeramente suaves pero crujientes.

3 **Termine el platillo**
Vuelva a colocar el pollo en la sartén, agregue el caldo de pollo, salsa de soya, vinagre y aceite de ajonjolí. Reduzca el fuego a medio y deje hervir a fuego lento cerca de 2 minutos, hasta que el pollo esté totalmente opaco y la salsa se reduzca ligeramente. Divida el pollo y las verduras entre tazones poco profundos, espolvoree con el cilantro y sirva.

Pechugas de pollo deshuesadas, sin piel y partidas a la mitad, 750 g (1 ½ lb) en total, cortadas en tiras delgadas

Sal y pimienta recién molida

Semillas de ajonjolí, 3 cucharadas

Aceite de cacahuate, 3 cucharadas

Pimiento (capsicum) rojo, 1, sin semillas y cortado en tiras delgadas

Chícharo nieve, 350 g (½ lb)

Ajo, 3 dientes, finamente picados

Caldo de pollo, ⅔ taza (150 ml/5 fl oz)

Salsa de soya, 3 cucharadas

Vinagre de arroz, 2 cucharadas

Aceite de ajonjolí asiático, 1 cucharada

Cilantro fresco, ¼ taza (10 g/⅓ oz), picado

4 PORCIONES

puerco con salsa de naranja al bourbon

Chuletas de puerco sin hueso, 4, 750 g (1 ½ lb) en total

Sal y pimienta recién molida

Tomillo fresco, 1 cucharada, picado

Mantequilla sin sal, 3 cucharadas

Cebolla morada, 1 pequeña, finamente rebanada

Jugo de naranja fresco, ⅓ taza (80 ml/3 fl oz)

Bourbon o vino Madeira, 2 cucharadas

4 PORCIONES

1 Cocine el puerco

Sazone el puerco generosamente con sal y pimienta. Espolvoree con el tomillo presionando firmemente para adherir a la carne. En una sartén grande sobre fuego medio-alto derrita 2 cucharadas de mantequilla. Agregue el puerco y cocine cerca de 8 minutos en total, volteando una sola vez, hasta dorar por ambos lados y dejar ligeramente rosado en el centro. Pase a un plato.

2 Prepare la salsa

Añada la cebolla a la sartén y saltee sobre fuego medio cerca de 4 minutos, hasta suavizar. Añada el jugo de naranja y el bourbon a la sartén y cocine cerca de un minuto, raspando los trocitos dorados de la base de la sartén. Vuelva a colocar en la sartén la carne y los jugos que quedaron en el plato, tape y cocine cerca de un minuto, hasta que se caliente completamente. Pase a una tabla para picar y deje reposar aproximadamente 2 minutos. Acomode el puerco y la mezcla de cebolla en un platón o divida entre platos trinche, bañe con la salsa y sirva.

sugerencia del chef

Para revisar el término de cocción del puerco inserte un termómetro de lectura instantánea en la parte más

gruesa de la carne. El termómetro deberá registrar por lo menos entre 63°C y 65°C (124°F-150°F) para término medio. Tome en cuenta que la temperatura aumentará entre 3°C y 6°C (5°F-10°F) mientras reposa.

sugerencia del chef

Para completar el menú, acompañe las albóndigas de pavo y salsa de arándano con puré cremoso de papa y alguna verdura verde como ejotes o brócoli.

albóndigas de pavo a las hierbas

1 Prepare las albóndigas

Precaliente el horno a 220°C (425°F) y engrase ligeramente una charola para hornear con bordes. En una sartén grande sobre fuego medio-alto derrita la mantequilla. Añada la cebolla y el apio. Saltee durante 4 ó 5 minutos, hasta suavizar. Usando una cuchara pase a un tazón y deje enfriar reservando la sartén. Agregue a la mezcla de cebolla fría, el pavo, migas de pan, huevo, orégano y ½ cucharadita de sal y la misma cantidad de pimienta. Mezcle suavemente con sus manos hasta integrar por completo. Forme 12 albóndigas medianas y acomode sobre la charola preparada.

2 Cocine las albóndigas y prepare la salsa

Hornee las albóndigas alrededor de 10 minutos, hasta que estén completamente opacas. Mientras tanto, mezcle el jugo de naranja, arándanos y azúcar en la sartén y coloque sobre fuego medio-alto. Cocine durante 2 ó 3 minutos, moviendo ocasionalmente, hasta que el jugo hierva y los arándanos empiecen a flotar. Divida las albóndigas entre platos trinches, bañe con cucharadas de la salsa y sirva.

Mantequilla sin sal, 1 cucharada

Cebolla amarilla o blanca, ½, finamente picada

Apio, 1 rama pequeña, finamente picada

Pavo molido (fino), 500 g (1 lb)

Migas finas de pan fresco, 1 taza (60 g/2 oz)

Huevo, 1

Orégano fresco, 2 cucharadas, picado

Sal y pimienta recién molida

Jugo de naranja, ⅔ taza (150 ml/5 fl oz)

Arándanos frescos o congelados, 1 taza (125 g/4 oz)

Azúcar, ¼ taza (60 g/2 oz)

4 PORCIONES

filete a la pimienta

Granos de pimienta, 1 cucharada

Sal gruesa de mar, 1 cucharada

Rib-eye o filetes New York, 4, cada uno de aproximadamente 185 g (6 oz) y 2.5 cm (1 in) de grueso

Mantequilla sin sal, 3 cucharadas

Aceite de canola, 1 cucharada

Chalotes, 2, finamente rebanados

Cognac o brandy, ⅓ taza (80 ml/3 fl oz)

Crema espesa, ⅓ taza (80 ml/3 fl oz)

Estragón fresco, 1 cucharadita, picado (opcional)

Sal y pimienta recién molida

4 PORCIONES

1 Prepare la carne

Coloque los granos de pimienta en una bolsa pequeña con cierre hermético. Usando un rodillo presiónelos toscamente. En un plato pequeño mezcle los granos de pimienta molidos con la sal gruesa. Presione la mezcla firme y uniformemente sobre ambos lados de la carne.

2 Cocine la carne

En una sartén grande (o 2 sartenes medianas) sobre fuego medio-alto derrita 2 cucharadas de mantequilla y el aceite. Añada la carne y cocine, volteando una sola vez, durante 6 u 8 minutos en total para término medio-rojo o hasta el término deseado. Pase la carne a un platón y cubra con papel aluminio.

3 Prepare la salsa

Agregue la cucharada restante de mantequilla a la sartén y coloque sobre fuego medio. Añada los chalotes y saltee cerca de un minuto, hasta suavizar. Integre el cognac, crema y estragón. Cuando hierva raspe los pequeños trozos dorados de la base de la sartén. Disminuya el fuego y deje hervir a fuego lento alrededor de un minuto, hasta que espese ligeramente. Sazone al gusto con sal y pimienta. Divida los filetes entre platos trinche, bañe con cucharadas de la salsa y chalotes y sirva.

sugerencia del chef

Para una versión más ligera omita el cognac, la crema y el estragón. Agregue a la sartén 250 g (½ lb) de hongos cremini, finamente rebanados junto con los chalotes y saltee alrededor de 5 minutos, hasta suavizar. Sazone al gusto con sal y pimienta y sirva sobre la carne.

sugerencia del chef

Si no cuenta con un mazo de carnicero o una olla gruesa, puede utilizar un rodillo para golpear el pollo y obtendrá los mismos resultados.

pollo saltimbocca

1 Prepare el pollo

Precaliente el asador del horno. Usando un cuchillo filoso corte cada mitad de pechuga longitudinalmente para obtener 8 piezas en total. Coloque cada pieza entre 2 hojas de papel encerado. Usando un mazo de carnicero o la base plana de una olla gruesa golpee el pollo ligeramente hasta obtener un grosor de 6 mm (1/4 in) de grueso. Repita la operación con las demás piezas. Sazone el pollo generosamente con sal y pimienta. Espolvoree con la salvia presionando firmemente para que se adhiera al pollo.

2 Cocine el pollo

En una sartén grande (o 2 medianas) sobre fuego medio-alto derrita 3 cucharadas de la mantequilla. Añada el pollo y cocine durante 2 ó 3 minutos, hasta que esté dorado en la parte inferior. Voltee el pollo y cocine cerca de 3 minutos más, hasta que esté completamente opaco. Cubra cada pieza con una rebanada de queso y una rebanada de prosciutto. Pase el pollo a una charola para hornear y coloque en el asador cerca de un minuto para dorar el prosciutto y derretir el queso.

3 Prepare la salsa

Mientras el pollo está en el horno, añada la cucharada restante de mantequilla a la sartén (o sartenes). Agregue el chalote y saltee cerca de un minuto, hasta suavizar. Añada el vino Marsala y cocine durante 1 ó 2 minutos, raspando para retirar los trocitos dorados de la base de la sartén hasta que la salsa se reduzca ligeramente. Integre una cucharadita de jugo de limón y mezcle. Divida el pollo entre platos trinche, bañe con cucharadas de la salsa y los trocitos de chalotes y sirva de inmediato.

Pechugas deshuesadas sin piel y partidas a la mitad, 4, 750 g (1 1/2 lb) en total

Sal y pimienta recién molida

Salvia fresca, 2 cucharadas, picada

Mantequilla sin sal, 4 cucharadas (60 g/2 oz)

Prosciutto o jamón horneado, 4 rebanadas delgadas grandes, partidas a la mitad, aproximadamente 90 g (3 oz) en total

Queso fontina, 8 rebanadas delgadas, 90 g (3 oz) en total

Chalotes, 2, picados

Vino Marsala o caldo de pollo, 1/2 taza (125 ml/ 4 fl oz)

Limón, 1/2

4 Ó 6 PORCIONES

chuletas de puerco braseadas con salsa de cereza

Chuletas de puerco con hueso, 4, cada una de 2 cm (3/4 in) de grueso

Sal y pimienta recién molida

Romero fresco, 1 cucharada, finamente picado

Mantequilla sin sal, 3 cucharadas

Poros, 2, incluyendo la parte de color verde pálido, partidos a la mitad, enjuagados y finamente rebanados

Caldo de pollo, 1 taza (180 ml/8 fl oz)

Oporto, 1/4 taza (60 ml/ 2 fl oz)

Vinagre balsámico, 2 cucharadas

Cerezas secas, 1/2 taza (60 g/2 oz)

4 PORCIONES

1 Dore las chuletas de puerco

Sazone las chuletas de puerco con sal, pimienta y el romero, presionando firmemente para adherirlo a la carne. En una sartén grande sobre fuego medio-alto derrita 2 cucharadas de mantequilla. Agregue las chuletas de puerco y cocine cerca de 6 minutos en total, volteando una vez, hasta dorar por ambos lados. Pase el puerco a un plato.

2 Prepare la salsa

Derrita la cucharada restante de mantequilla en una sartén sobre fuego medio. Agregue los poros y saltee durante 3 ó 4 minutos, hasta suavizar y dorar. Añada el caldo y cocine alrededor de un minuto, raspando las trocitos dorados de la base de la sartén. Integre el vino, el vinagre y las cerezas.

3 Termine el platillo

Vuelva a colocar en la sartén la carne y los jugos que soltó en el plato, bañando la carne con cucharadas del líquido. Tape, reduzca el fuego a medio-bajo, deje cocer cerca de 15 minutos, hasta que el puerco esté suave y quede ligeramente rosado en el centro. Divida las chuletas en platos trinche bañando con la salsa y sirva.

sugerencia del chef

Siempre deje reposar la carne antes de rebanarla, permitiendo que los jugos que se acumularon durante la cocción se distribuyan a través de toda la pieza de carne. Mientras reposa la temperatura de la carne puede aumentar entre 3°C y 6°C (5°F-10°F).

carne de res a la piperade

1 Dore la carne

Sazone el puerco generosamente con sal y pimienta. En una sartén grande sobre fuego alto caliente una cucharada de mantequilla y una de aceite. Agregue la carne y cocine, volteando una sola vez, durante 4 ó 6 minutos en total para término medio-rojo o al término que más le agrade. Pase la carne a una tabla de picar y cubra con papel aluminio.

2 Prepare la salsa

Caliente la cucharada restante de mantequilla y de aceite en la sartén sobre fuego medio. Añada la cebolla, pimientos, ajo y tomillo. Saltee durante 3 ó 4 minutos, hasta que la cebolla se haya suavizado ligeramente. Añada el vino, deje hervir cerca de 30 segundos, raspando los trocitos dorados de la base de la sartén. Incorpore el jitomate y su jugo, deje hervir a fuego lento cerca de 5 minutos, hasta que se reduzca ligeramente. Sazone al gusto con sal y pimienta.

3 Rebane la carne

Rebane finamente la carne en diagonal en contra del grano. Acomode las rebanadas en platos trinche o en un platón, bañe con la salsa y sirva.

Falda o filete de res, 750 g (1 ½ lb)

Sal y pimienta recién molida

Mantequilla sin sal, 2 cucharadas

Aceite de oliva, 2 cucharadas

Cebolla morada, 1, picada

Pimientos rojos o amarillos (capsicums), 3, sin semillas y rebanados muy delgados a lo ancho

Ajo, 3 dientes, picados

Tomillo fresco, 1 cucharada, picado

Vino blanco seco, ½ taza (125 ml/4 fl oz)

Jitomate en cubos, 1 lata (455 g/14 ½ oz)

4 PORCIONES

falda de res marinada al tequila

Limones, 3

Aceite de canola, 1/4 taza (60 ml/2 fl oz)

Tequila, 3 cucharadas

Azúcar, 1 cucharadita

Sal

Falda de res, 750 g (1 1/2 lb), cortada en tiras de 20 cm (8 in)

Mantequilla sin sal, 1/2 taza (125 g/4 oz), a temperatura ambiente

Chile ancho en polvo, 2 cucharaditas

4 PORCIONES

1 Marine la carne

Ralle finamente la ralladura de limón y exprima 3 cucharadas de jugo. En un recipiente poco profundo lo suficientemente grande para dar cabida a la carne en una sola capa mezcle el jugo de limón con el aceite, tequila, azúcar y 1/2 cucharadita de sal. Añada la carne y voltee para cubrir. Tape y deje marinar a temperatura ambiente alrededor de 15 minutos.

2 Prepare la mantequilla de limón y chile ancho

Prepare un asador al carbón o de gas para asar directamente sobre fuego alto y engrase con aceite la rejilla del asador o precaliente una sartén para asar sobre la estufa a fuego alto. Mientras tanto, en un tazón pequeño mezcle la mantequilla con la ralladura de limón y el polvo de chile ancho. Reserve.

3 Cocine la carne

Retire la carne de la marinada y deseche la marinada. Coloque sobre la rejilla del asador o sartén para asar y cocine, volteando una sola vez, durante 4 ó 6 minutos para término medio o hasta el término deseado. Deje reposar durante 2 minutos sobre una tabla de picar y rebane finamente en contra del grano. Divida la carne en platos trinche y bañe con cucharadas del jugo. Añada una cucharada de la mantequilla de limón y chile ancho sobre las rebanadas de carne y sirva. Envuelva la mantequilla restante en plástico adherente y coloque en el congelador para otro uso (vea Sugerencia del Chef).

sugerencia del chef

Prepare más mantequilla para servir con elotes asados, verduras asadas o puerco asado o a la parrilla. A la mantequilla se le puede dar forma de tronco, envolver en plástico adherente y congelar hasta por un mes. Corte el tronco en rebanadas cuando las necesite.

15 minutos de preparación

pollo braseado con jitomate y tocino

Tocino rebanado grueso, 4 rebanadas, picado

Muslos de pollo con piel y hueso, 6, aproximadamente 1 kg (1 lb) en total

Sal y pimienta recién molida

Cebolla amarilla o blanca, 1, picada

Ajo, 2 dientes grandes, picados

Vino blanco seco, 1/4 taza (60 ml/2 fl oz)

Orégano fresco, 1 cucharada, picado

Hojuelas de chile rojo, 1/4 cucharadita

Jitomate en cubos, 1 lata (455 g/ 14 1/2 oz), con su jugo

4 ó 6 PORCIONES

1 Cocine el tocino

En una sartén grande sobre fuego medio fría el tocino durante 4 ó 5 minutos, volteando con frecuencia, hasta dejar crujiente. Usando una cuchara ranurada pase el tocino a un plato pequeño. Deseche la mayor parte de la grasa reservando 2 cucharadas.

2 Dore el pollo

Sazone el pollo generosamente con sal y pimienta. Vuelva a colocar la sartén sobre fuego medio-alto, añada el pollo y cocine alrededor de 8 minutos en total, volteando una o dos veces, hasta dorar por ambos lados. Pase el pollo a un plato. Añada la cebolla y el ajo a la sartén; saltee alrededor de 4 minutos, hasta suavizar.

3 Brasee el pollo

Vierta el vino y raspe para desprender los trocitos dorados de la base de la sartén. Integre el orégano, hojuelas de chile y jitomates con su jugo. Regrese a la sartén el pollo y el jugo que soltó en el plato, tape, reduzca el fuego a medio-bajo y brasee durante 25 ó 30 minutos hasta que el pollo esté totalmente cocido. Destape, suba el fuego a medio-alto, deje hervir lentamente y agregue el tocino. Pase el pollo a platos trinche, cubra con la salsa y sirva.

sugerencia del chef

Para complementar este menú, sirva con tallarines de huevo o puré de papa y una ensalada verde. Este platillo

se puede preparar con un día de anticipación para permitir que se mezclen los sabores. Recaliente en la estufa, tapado, sobre fuego medio-bajo, hasta que se haya calentado por completo.

pollo braseado con champiñones

1 Dore el pollo

Sazone el pollo generosamente con sal y pimienta. En una sartén grande a fuego medio-alto derrita 2 cucharadas de mantequilla. Añada el pollo y cocine alrededor de 8 minutos en total, volteando una o dos veces, hasta dorar por ambos lados. Pase el pollo a un plato.

2 Cueza las verduras

Derrita la cucharada restante de mantequilla en la sartén sobre fuego medio. Añada la cebolla y saltee alrededor de 3 minutos, hasta suavizar ligeramente. Agregue los champiñones y saltee cerca de 5 minutos, hasta que suelten su jugo. Añada el vino Madeira y la salsa inglesa.

3 Brasee el pollo

Regrese a la sartén el pollo y el jugo que soltó en el plato y, usando una cuchara, coloque los champiñones sobre el pollo. Tape, reduzca el fuego a medio-bajo y brasee durante 20 ó 25 minutos, hasta que el pollo esté totalmente opaco. Agregue el estragón y sazone al gusto con sal y pimienta. Divida el pollo en platos trinche, cubra con los champiñones y sirva.

Mitades de pechuga de pollo con piel y hueso, 4, aproximadamente 750 g (1 ½ lb) en total

Sal y pimienta recién molida

Mantequilla sin sal, 3 cucharadas

Cebolla amarilla o blanca, 1 pequeña, picada

Champiñones u otro hongo cultivado o silvestre, 500 g (1 lb), rebanados

Vino Madeira o jerez seco, ¼ taza (60 ml/2 fl oz)

Salsa inglesa, 1 cucharada

Estragón fresco, 1 cucharada, picado

4 PORCIONES

albondigón italiano

Carne molida de res, 375 g (¾ lb)

Carne molida de puerco, 375 g (¾ lb)

Pesto, ½ taza (125 ml/ 4 fl oz)

Migas frescas de pan molido fino, 1 taza (60 g/ 2 oz)

Jitomates deshidratados en aceite, ⅔ taza, picados

Huevo, 1

Sal

4 ó 6 PORCIONES

1 Mezcle el albondigón

Precaliente el horno a 180°C (350°F). Tenga a la mano un refractario poco profundo de 28 x 18 cm (11 x 7 in). En un tazón grande mezcle la carne de res con la de puerco, pesto, migas de pan, jitomates deshidratados, huevo y ½ cucharadita de sal. Mezcle suavemente con sus manos hasta integrar por completo. Haga un rollo grueso de aproximadamente 23 cm x 13 cm (9 in x 5 in) con la mezcla de carne. Colóquelo en el refractario y empareje la superficie.

2 Hornee el albondigón

Hornee el albondigón hasta que esté firme, la cubierta esté dorada y que un termómetro de lectura instantánea insertado en el centro registre 71°C (160°F). Deje reposar el albondigón dentro del refractario durante 5 ó 10 minutos antes de rebanarlo. Divida las rebanadas entre platos trinche y sirva caliente.

sugerencia del chef

Los sobrantes de albondigón se usan para preparar magníficos sándwiches. Unte rebanadas de pan francés o italiano con mayonesa al pesto y coloque capas de rebanadas de albondigón, jitomates maduros y hortalizas en cada sándwich.

sugerencia del chef

Sirva este sustancioso platillo de puerco acompañando con el mismo vino que usó para prepararlo. Una buena regla de oro es nunca usar vino para cocinar que no quiera beber. También evite el cocinar con vino que esté etiquetado como "vino para cocinar" pues el sabor de su platillo no será el mismo.

porchetta toscana

1 Prepare el asado

Precaliente el horno a 200°C (400°F). Ralle finamente una cucharada de ralladura de uno de los limones y rebane finamente el segundo limón. Sazone generosamente el lomo con sal, pimienta y la ralladura de limón; espolvoree con las semillas de eneldo presionándolas firmemente para que se adhieran a la carne.

2 Ase el lomo

En una charola para asar poco profunda lo suficientemente grande para dar cabida al lomo mezcle la cebolla, hinojo y rebanadas de limón haciendo una cama para sostener al lomo. Espolvoree con sal y pimienta; rocíe con 1/3 taza (75 ml/2 1/2 fl oz) del vino. Coloque el lomo en la cama de verduras y limón. Ase alrededor de 1 1/2 hora, hasta que un termómetro de lectura instantánea insertado en el centro registre entre 63°C y 65°C (145°F-150°F) y el puerco esté ligeramente rosado en el centro. Pase el lomo a una tabla de picar, cubra holgadamente con papel aluminio y deje reposar durante 10 minutos mientras prepara la salsa.

3 Prepare la salsa

Mientras tanto, coloque la charola para asar sobre la estufa a fuego medio, añada el 1/3 de taza restante de vino a las verduras y cocine cerca de 2 minutos, raspando para retirar los pequeños trozos dorados pegados al fondo de la charola, hasta que espese ligeramente. Retire el cordón de cocina y rebane el lomo. Acomode en un platón acompañando con las verduras y la salsa; sirva.

Limones amarillos, 2

Lomo de puerco, 1.5 kg (3 lb), enrollado y atado con cordón de cocina

Sal y pimienta recién molida

Semillas de eneldo, 2 cucharaditas, machacado

Cebolla amarilla o blanca, 1, finamente rebanada

Bulbo de hinojo, 1, cortado y finamente rebanado

Vino blanco seco, 2/3 taza (150 ml/5 fl oz)

6 PORCIONES

salchichas braseadas a la cerveza con col morada

Aceite de oliva, 2 cucharadas

Salchichas alemanas, 4 grandes u 8 pequeñas, 500 g (1 lb)

Cebolla amarilla o blanca, 1, finamente rebanada

Semillas de alcaravea, 2 cucharaditas

Col morada, ½ cabeza pequeña, rallada

Cerveza ale, 1 taza (250 ml/8 fl oz)

Vinagre de malta, 2 cucharadas

Hinojo fresco, 2 cucharadas, picado (opcional)

4 PORCIONES

1 Dore las salchichas y la cebolla

En una sartén grande sobre fuego medio-alto caliente el aceite. Añada las salchichas y dore cerca de 5 minutos, volteando una o dos veces, hasta que estén ligeramente quemadas. Pase las salchichas a un plato. Coloque la cebolla en la sartén, reduzca el fuego a medio y saltee durante 5 ó 6 minutos, hasta que se suavice y dore ligeramente. Incorpore las semillas de alcaravea y después la col. Regrese a la sartén las salchichas y el jugo que hayan soltado en el plato.

2 Brasee las salchichas y la col

Integre la cerveza y el vinagre; deje hervir ligeramente. Tape, reduzca el fuego a medio-bajo y hierva lentamente cerca de 20 minutos, hasta que la col esté suave. Incorpore el hinojo, si lo usa. Divida la col y las salchichas entre platos trinche y sirva.

sugerencia del chef

Se puede usar cualquier salchicha para preparar esta receta. La salchicha Kielbasa ya viene cocida por lo que sólo necesitará calentarse ligeramente. Corte en trozos de 5 cm (2 in), cocine sobre fuego medio hasta dorar y calentar por completo. Intégrela a la col durante los últimos 10 minutos de cocción.

sugerencia del chef

La páprika viene en diferentes grados de picor y ahumada o sin ahumar (la mayoría proviene de España). Para esta receta use la páprika picante sin ahumar en vez de la dulce o la de picor medio. Una vez que abra el envase de la páprika almacene en un anaquel frío y oscuro y utilice en los próximos 6 meses ya que pierde su potencia.

guisado de puerco estilo portugués

1 Dore el puerco

Sazone el puerco generosamente con sal y pimienta, espolvoree con la páprika y semillas de comino presionando firmemente para adherir a la carne. En una sartén profunda para freír o en un horno holandés sobre fuego medio-alto caliente el aceite. Trabajando en tandas si fuera necesario para evitar amontonar la sartén, agregue el puerco y cocine durante 6 u 8 minutos en total, volteando según sea necesario, hasta dorar por todos lados. Usando una cuchara ranurada pase el puerco a un plato. Reduzca el fuego a medio, coloque la cebolla y ajo en la sartén y saltee durante 4 ó 5 minutos, hasta suavizar. Integre el vino y el caldo; vuelva a colocar en la sartén el puerco y el jugo que soltó en el plato.

2 Cocine el guisado

Deje hervir ligeramente, tape la sartén, reduzca el fuego a medio-bajo y cocine durante una hora, moviendo de vez en cuando. Añada los camotes y las zanahorias, vuelva a tapar y continúe cocinando cerca de 30 minutos más, hasta que la carne y las verduras estén suaves. Sazone al gusto con sal y pimienta. Divida entre tazones poco profundos y sirva.

Pierna de puerco sin hueso, 750 g (1 ½ lb), cortada en trozos de 4 cm (1 ½ in)

Sal y pimienta recién molida

Páprika picante, 2 cucharaditas

Semillas de comino, 2 cucharaditas

Aceite de oliva, 3 cucharadas

Cebolla morada, 1, rebanada

Dientes de ajo, 4 grandes, finamente picados

Vino tinto con cuerpo, 1 taza (250 ml/8 fl oz)

Caldo de pollo, 2 tazas (500 ml/16 fl oz)

Camotes dulces, 500 g (1 lb), sin piel y picados en trozos de 2.5 cm (1 in)

Zanahorias, 3 grandes, sin piel y picadas en trozos de 2.5 cm (1 in)

4 ó 6 PORCIONES

arroz con pollo

Muslos de pollo con piel y hueso o mitades de pechuga o piernas, 1.5 kg (3 lb)

Sal y pimienta recién molida

Aceite de oliva, 3 cucharadas

Cebolla amarilla o blanca, 1, picada

Pimientos (capsicums) rojos asados, 3, cortados en tiras gruesas

Ajo, 4 dientes grandes, finamente picados

Pistilos de azafrán, ¼ cucharadita, machacados

Arroz blanco de grano largo, 2 tazas (440 g/14 oz)

Caldo de pollo, 3 tazas (750 ml/24 fl oz)

Orégano fresco, 2 cucharadas, picado

Jitomate en cubos, 1 lata (455 g/14 ½ oz), con su jugo

4 ó 6 PORCIONES

1 Dore el pollo y las verduras

Precaliente el horno a 180°C (350°F). Sazone el pollo generosamente con sal y pimienta. En una sartén grande con tapa apretada que se pueda meter al horno sobre fuego medio-alto, caliente el aceite. Añada el pollo y cocine cerca de 6 minutos en total, volteando una o dos veces, hasta dorar por ambos lados. Pase el pollo a un plato. Agregue la cebolla, los pimientos asados y el ajo a los jugos en la sartén, reduzca el fuego a medio y saltee durante 4 ó 5 minutos, hasta que las verduras estén suaves.

2 Cocine el pollo y el arroz

Integre el azafrán con las verduras. Agregue el arroz, moviendo hasta cubrir todos los granos. Incorpore el caldo y el orégano. Deje hervir a fuego lento. Regrese a la sartén el pollo y el jugo que soltó en el plato. Tape y hornee durante 45 minutos. Destape e integre los jitomates. Tape y continúe la cocción cerca de 15 minutos más, hasta que el arroz esté suave y la mayor parte del líquido se haya absorbido. Sazone al gusto con sal y pimienta. Sirva directo de la sartén.

sugerencia del chef

Para hacer una paella rápida, utilice 2 cucharadas de mejorana picada en vez del orégano, sustituya ½ taza (125 ml/4 fl oz) de vino blanco por la misma cantidad de caldo e incorpore 1 taza (155 g/5 oz) de chícharos congelados junto con los jitomates. También puede añadir almejas Manila, camarones o rebanadas de chorizo español durante los últimos 10 minutos de cocción.

guisado de res al balsámico

1 Dore la carne

En una bolsa con cierre hermético mezcle la harina con ½ cucharadita de sal y la misma cantidad de pimienta. Añada la carne, cierre la bolsa y sacuda para cubrir la carne con la harina sazonada. En una olla de hierro fundido u horno holandés sobre fuego medio-alto caliente el aceite. Trabajando en tandas si fuera necesario para no amontonar, retire la carne de la bolsa sacudiendo el exceso de harina y coloque en la olla en una sola capa. Cocine durante 6 u 8 minutos en total, volteando conforme sea necesario, hasta dorar por todos lados. Usando una cuchara ranurada pase la carne a un plato. Añada la cebolla a los jugos de la sartén y cocine a fuego medio alrededor de 5 minutos, hasta dorar. Incorpore las hojas de laurel, vino y caldo.

2 Brasee la carne y los vegetales

Regrese a la olla la carne y el jugo que soltó en el plato. Deje hervir ligeramente, reduzca el fuego a bajo. Tape y brasee durante 1 ½ ó 2 horas, hasta que la carne se pueda partir con un tenedor. Añada las papas y las zanahorias, vuelva a tapar y siga cocinando cerca de 30 minutos más, hasta que los vegetales estén suaves.

3 Finalice el platillo

Sazone el guisado con sal y pimienta. Retire y deseche las hojas de laurel. Incorpore el vinagre. Divida entre tazones individuales poco profundos y sirva.

Harina, 3 cucharadas

Sal y pimienta recién molida

Carne de res sin hueso, 1 kg (2 lb), sin el exceso de grasa y cortada en trozos de 4 cm (1 ½ in)

Aceite de canola, 3 cucharadas

Cebolla morada, 1, rebanada

Hojas de laurel, 2

Vino tinto con cuerpo, 1 taza (250 ml/8 fl oz)

Caldo de res, 2 tazas (500 ml/16 fl oz)

Papas roja o yukon doradas, 500 g (1 lb), con piel, picadas en trozos de 4 cm (1 ½ in)

Zanahorias, 3 grandes, sin piel, picadas en trozos de 2.5 cm (1 in)

Vinagre balsámico, 2 cucharadas

6 PORCIONES

pollo korma

Muslos de pollo sin hueso, 750 g (1 ½ lb), cortados en trozos de 2.5 cm (1 in)

Sal y pimienta recién molida

Aceite de canola, 3 cucharadas

Cebolla amarilla o blanca, 1, rebanada

Ajo, 2 dientes grandes, finamente picados

Jengibre, 2 cucharadas, finamente picado

Salsa de jitomate, ½ taza (125 ml/4 fl oz)

Caldo de pollo, ⅔ taza (150 ml/5 fl oz)

Yogurt simple entero, ⅔ taza (150 ml/5 fl oz)

Garam masala, 2 cucharaditas

Cilantro fresco, 3 cucharadas, picado

Arroz Basmati, para acompañar (opcional)

Nueces de la India asadas, ½ taza (75 g/2 ½ oz), toscamente picadas

4 PORCIONES

1 Dore el pollo

Sazone el pollo generosamente con sal y pimienta. En una sartén grande sobre fuego medio-alto caliente el aceite. Añada el pollo y cocine entre 5 y 7 minutos en total, volteando una o dos veces, hasta que se dore por ambos lados. Usando una cuchara ranurada pase el pollo a un plato.

2 Cocine las verduras

Añada la cebolla a la sartén con el líquido que soltó el pollo y saltee durante 4 ó 5 minutos, hasta que se suavice. Agregue el ajo y el jengibre; saltee cerca de un minuto, hasta que se suavicen. Integre la salsa de tomate y el caldo.

3 Termine el platillo

Regrese el pollo a la sartén y bañe con el jugo que haya soltado en el plato. Deje hervir ligeramente, tape y reduzca el fuego a medio-bajo. Deje hervir ligeramente durante 20 ó 25 minutos, moviendo 1 ó 2 veces, hasta que el pollo esté completamente opaco. Retire del fuego e integre el yogurt, garam masala y 2 cucharadas del cilantro, batiendo. Divida el arroz, si lo usa, entre tazones poco profundos y cubra con la mezcla de pollo. Espolvoree con las nueces y la cucharada restante de cilantro. Sirva.

sugerencia del chef

Asegúrese de usar yogurt simple entero para esta receta. El yogurt bajo en grasa no tiene el suficiente

cuerpo y se cuajará y/o cortará la salsa una vez que se mezcle con el líquido caliente, proporcionando un sabor y textura desagradable.

sugerencia del chef

Para una comida completa sirva las brochetas sobre arroz a la cebolla. Cocine el arroz según las instrucciones del paquete e incorpore ¼ taza de tallos verdes de cebollitas de cambray finamente rebanados y una cucharada de semillas de ajonjolí tostadas.

brochetas asadas estilo tai

1 Marine la carne

Rebane la carne en contra del grano en rebanadas de 6 mm (1/4 in) de grueso. En un platón poco profundo de vidrio o cerámica lo suficientemente grande para dar cabida a la carne, mezcle el sake con la salsa de soya, vinagre, miel de abeja, aceite de ajonjolí, jengibre, ajo, hojuelas de chile y semillas de cilantro. Añada la carne y mezcle hasta cubrir completamente. Cubra y deje reposar durante 30 minutos a temperatura ambiente o hasta por 4 horas en el refrigerador.

2 Prepare las brochetas y el asador

Mientras la carne se está marinando, remoje 12 brochetas de bambú en agua fría por lo menos durante 30 minutos. Prepare un asador de gas o carbón para asar directamente sobre fuego alto y engrase la rejilla con aceite o precaliente un asador.

3 Cocine la carne

Escurra las brochetas. Retire la carne de la marinada desechando la marinada. Ensarte la carne en las brochetas, dividiendo la carne equitativamente. Coloque las brochetas sobre la rejilla del asador o en una charola de horno con borde y coloque debajo del asador o salamandra. Cocine hasta sellar durante 3 ó 4 minutos en total para término medio-rojo o hasta obtener el término deseado, volteando una o dos veces. Divida las brochetas entre platos trinche y sirva.

Filete de falda, 750 g (1 1/2 lb)

Sake, jerez seco o mirin, 1/3 taza (75 ml/2 1/2 fl oz)

Salsa de soya, 1/4 taza (60 ml/2 fl oz)

Vinagre de arroz, 1/4 taza (60 ml/2 fl oz)

Miel de abeja, 1 cucharada

Aceite de ajonjolí asiático, 1 cucharada

Jengibre, 2 cucharadas, finamente picado

Ajo, 3 dientes, finamente picados

Hojuelas de chile rojo, 1 cucharadita

Semillas de cilantro molidas, 1/2 cucharadita

4 PORCIONES

pollo frito al horno

Limón amarillo, 1

Buttermilk o yogurt, 3/4 taza (180 ml/6 oz)

Mejorana fresca, 3 cucharadas, picada

Sal y pimienta recién molida

Pollo entero, 1 1/2 kg (3 lb), con piel y cortado en 10 piezas

Cornmeal o polenta, 2/3 taza (105 g/3 1/2 oz)

Migas finas de pan seco, 1/3 taza (45 g/1 1/2 oz)

Queso parmesano, 1/4 taza (30 g/1 oz), rallado

Mantequilla sin sal, 4 cucharadas (60g/2 oz), derretida

4 ó 6 PORCIONES

1 Remoje el pollo

Precaliente el horno a 220°C (425°F). Ralle una cucharadita de ralladura de limón y exprima 2 cucharadas del limón. En un tazón de vidrio o cerámica poco profundo mezcle el buttermilk con el jugo de limón, una cucharada de mejorana y aproximadamente 1/4 cucharadita tanto de sal como de pimienta. Añada las piezas de pollo, voltee para cubrir y deje reposar durante 10 minutos.

2 Cubra el pollo

En un tazón poco profundo mezcle el cornmeal con las migas de pan, queso, ralladura de limón y las 2 cucharadas restantes de mejorana y aproximadamente 1/2 cucharadita tanto de sal como de pimienta. Trabajando con una pieza a la vez, retire el pollo de la mezcla de buttermilk y sumerja en la mezcla de cornmeal, volteando para cubrir uniformemente. Acomode las piezas en una charola para hornear poco profunda en una sola capa, con la piel hacia arriba. Rocíe con la mantequilla.

3 Cocine el pollo

Coloque en el horno y cocine durante 35 ó 45 minutos hasta que el pollo esté dorado, crujiente y completamente opaco. Pase a un platón y sirva.

sugerencia del chef

La salsa barbecue se puede preparar con 2 días de anticipación y almacenarse en un recipiente hermético en el refrigerador. Esta versátil salsa también es excelente para preparar pollo asado, costillitas de cerdo o costillas de res.

costillitas sazonadas

1 Prepare la salsa

Precaliente el horno a 180°C (350°F). En una olla sobre fuego medio caliente el aceite. Añada el ajo y saltee cerca de un minuto, hasta suavizar. Incorpore los jitomates, melaza, bourbon, vinagre, salsa inglesa, chile chipotle, canela, sal y pimienta al gusto. Cuando suelte el hervor reduzca el fuego a medio-bajo y deje hervir lentamente durante 15 ó 20 minutos, sin tapar, hasta que espese un poco.

2 Ase las costillas

Mientras tanto, corte en porciones con 3 costillas cada una. Coloque las costillas sobre una rejilla dentro de una charola para horno con bordes lo suficientemente grande para darles cabida holgadamente. Vierta 2 tazas (500 ml/16 fl oz) de agua en la charola. Tape la charola con papel aluminio grueso. Ase las costillas durante 35 minutos, eleve la temperatura del horno a 190°C (375°F). Destape la charola y barnice las costillas por ambos lados con la salsa. Continúe asando destapadas durante 15 minutos. Barnice las costillas una vez más y continúe asando cerca de 10 minutos más, hasta que las costillas estén suaves, para tener un tiempo total de horneado de aproximadamente una hora. Divida las costillas entre platos trinche acompañando con más salsa a la mesa.

Aceite de canola, 1 cucharada

Ajo, 2 dientes grandes, finamente picados

Puré de tomate, 1 lata (455 g/14 ½ oz)

Melaza, ¼ taza (75 g/2 ½ oz)

Whiskey Bourbon o sidra de manzana, 3 cucharadas

Vinagre de sidra, 2 cucharadas

Salsa inglesa, 1 cucharada

Chile chipotle en adobo, 1 cucharada, finamente picado

Canela molida, ¼ cucharadita

Sal y pimienta recién molida

Costillas de puerco, 3 kg (6 lb)

6 PORCIONES

tagine de cordero con chabacanos y almendras

Limón amarillo, 1 grande

Pierna de cordero sin hueso, 1 kg (2 lb), cortada en trozos de 5 cm (2 in)

Sal y pimienta recién molida

Aceite de oliva, 3 cucharadas

Cebolla amarilla o blanca, 1 grande, picada

Ajo, 3 dientes, finamente picados

Semillas de cilantro molidas, 1 ½ cucharadita

Comino molido, 1 ½ cucharadita

Canela molida, 1 cucharadita

Caldo de pollo, 2 tazas (500 ml/16 fl oz)

Chabacanos secos o dátiles sin hueso o una mezcla de ellos, ¾ taza (125 g/4 oz), picados grueso

Almendras fileteadas, ½ taza, tostadas

6 PORCIONES

1 Prepare la ralladura de limón y el jugo

Usando un pelador de verduras retire una tira ancha de cáscara del limón y exprima 1 ½ cucharada de jugo. Reserve la ralladura y el jugo.

2 Dore el cordero

Sazone el cordero generosamente con sal y pimienta. En una sartén grande o en un horno holandés sobre fuego medio-alto caliente el aceite. Trabajando en tandas si fuera necesario para evitar apretar demasiado, agregue el cordero y cocine, volteando conforme sea necesario, durante 6 u 8 minutos en total, hasta dorar por todos lados. Usando una cuchara ranurada pase el cordero a un plato. Agregue la cebolla y el ajo a la sartén. Saltee durante 4 ó 5 minutos, hasta que la cebolla esté suave y ligeramente dorada. Integre el cilantro, comino y canela. Regrese a la sartén el cordero y el jugo que haya soltado en el plato; mezcle para cubrir con las especias. Incorpore el caldo y deje hervir a fuego lento

3 Brasee el tagine

Tape, reduzca el fuego a bajo y cocine durante una hora. Destape, añada los chabacanos, almendras, ralladura de limón y jugo. Continúe cocinando a fuego lento alrededor de 20 minutos más, sin tapar, hasta que el cordero esté muy suave y los líquidos espesen ligeramente para convertirse en una salsa. Retire y deseche la ralladura de limón y sazone al gusto con sal y pimienta. Pase a platos trinche o tazones poco profundos y sirva.

sugerencia del chef

Este platillo de inspiración marroquí es delicioso si se sirve sobre cuscús recién cocido al vapor. Las cajas o latas de cuscús instantáneo se pueden comprar en la mayoría de los supermercados. Sírvalo simple o mezcle con cilantro fresco picado.

haga más para almacenar

pechugas a la sartén con salsa de mostaza

POLLO SELLADO A LA SARTÉN

Pechugas de pollo en mitades, sin piel y sin hueso, 8, aproximadamente 1.5 kg (3 lb) en total

Sal y pimienta recién molida

Mantequilla sin sal, 6 cucharadas (90 g/3 oz)

Semillas de mostaza, 1 cucharadita

Vino blanco seco, ⅓ taza (80 ml/3 fl oz)

Caldo de pollo, ⅓ taza (80 ml/3 fl oz)

Crema espesa, ¼ taza (60 ml/2 fl oz)

Mostaza Dijon, 2 cucharadas

4 PORCIONES

rinde aproximadamente 8 tazas (1.25 kg/2 ½ lb) en total de pollo en cubos o deshebrado

Las sencillas y rápidas pechugas de pollo selladas a la sartén se sirven el primer día con una deliciosa salsa preparada a la sartén. El pollo sobrante se puede usar para preparar una de las ensaladas saludables, o los sabrosos wraps que presentamos en las siguientes páginas.

1 Cocine la pechuga
Coloque la pechuga entre 2 hojas de papel encerado. Usando un mazo de carnicero o la base de una sartén gruesa golpee ligeramente hasta dejar de 12 mm (½ in) de grueso. Sazone generosamente con sal y pimienta. En una sartén grande sobre fuego medio-alto derrita la mitad de la mantequilla. Añada 4 pechugas y cocine durante 8 ó 10 minutos en total, volteando una sola vez, hasta que estén doradas y opacas por ambos lados. Pase el pollo a un plato para enfriar (vea Consejo de Almacenamiento). En la misma sartén derrita la mantequilla restante y cocine las demás pechugas. Pase a otro plato.

2 Prepare la salsa
Incorpore las semillas de mostaza con los escurrimientos que quedaron en la sartén y cocine sobre fuego medio-alto, moviendo, cerca de 15 segundos. Añada el vino y el caldo; deje hervir ligeramente. Reduzca el fuego a medio y cocine durante 1 ó 2 minutos, moviendo hasta que se reduzca ligeramente. Incorpore la crema y la mostaza; cocine durante un minuto para mezclar los sabores.

3 Termine el platillo
Vuelva a colocar en la sartén 4 mitades de pechugas y los jugos que soltaron; deje hervir ligeramente sobre fuego medio cerca de un minuto. Sazone al gusto con sal y pimienta. Rebane la pechuga y divida entre platos trinche. Rocíe con la salsa y sirva.

consejo de almacenamiento

Para almacenar las 4 pechugas restantes y utilizarlas en las siguientes recetas, deje enfriar a temperatura ambiente. Coloque en una bolsa o en un recipiente con cierre hermético. Se conservarán frescas en el refrigerador hasta por 3 días. Es mejor no congelar aves ni carne una vez que se hayan cocinado.

sugerencia del chef

Usted puede utilizar 375 g (3/4 lb/ 12 oz) de pechuga de pavo cocida sin hueso ni piel para sustituir el pollo. Para una comida ligera de verano, sirva la ensalada sobre hojas de lechuga verde con una canasta de bollos de buttermilk calientes.

ensalada de pollo con chutney y pistaches

Pollo Sellado a la Sartén (página 70), 2 tazas (375 g/12 oz), partido en cubos

Limón amarillo, 1

Mayonesa, 1/2 taza (125 ml/4 fl oz)

Chutney de mango, 1/4 taza (75 g/2 1/2 oz)

Mostaza Dijon, 1 cucharada

Uvas rojas sin semilla, 1 taza (185 g/6 oz), partidas a la mitad

Apio, 2 ó 3 tallos, picados grueso

Cebolla morada, 1 pequeña, finamente picada

Pistaches, 1/3 taza (60 g/2 oz)

Sal y pimienta negra recién molida

4 PORCIONES

1 Prepare el aderezo

Prepare una cucharadita de ralladura y exprima una cucharada de jugo del limón hacia un tazón grande. Añada la mayonesa, chutney y mostaza; mezcle para integrar.

2 Arme la ensalada

Añada al aderezo el pollo, uvas, apio, cebolla y pistaches. Mezcle ligeramente para integrar todos los ingredientes. Sazone al gusto con sal y pimienta. Divida entre platos o tazones para ensalada y sirva.

ensalada vietnamita de pollo

Pollo Sellado a la Sartén (página 70), 2 tazas (375 g/12 oz), deshebrado

Limón amarillo, 1

Aceite de cacahuate, 6 cucharadas (90 ml/3 fl oz)

Salsa de pescado asiática, 2 cucharadas

Azúcar, 1 cucharada

Col, 2 tazas (185 g/6 oz), rallada o finamente rebanada

Cebollitas de cambray, 4, finamente rebanadas

Cilantro fresco, 1/4 taza (10 g/1/3 oz), picado

Sal y pimienta negra recién molida

Cacahuates tostados, 1/4 taza (45 g/1 1/2oz), toscamente picados

4 PORCIONES

1 Prepare la vinagreta

Prepare una cucharadita de ralladura y exprima 2 cucharadas de jugo del limón hacia un tazón pequeño. Añada el aceite, salsa de pescado y azúcar; bata hasta integrar.

2 Arme la ensalada

En un tazón grande coloque el pollo con la col, cebollitas y cilantro; mezcle. Rocíe con la vinagreta de limón y mezcle para cubrir todos los ingredientes. Sazone al gusto con sal y pimienta. Divida entre platos para ensalada, espolvoree con los cacahuates y sirva.

sugerencia del chef

Para convertir esta ensalada en un plato principal más sustancioso, añada 250 g (8 oz) de fideo de arroz cocido con el pollo y la col. Mezcle para cubrir bien con la vinagreta.

sugerencia del chef

Los sándwiches y los wraps son ideales para utilizar los sobrantes. Experimente con diferentes combinaciones como sobrantes de sirloin asado (página 86), mayonesa de rábano fuerte y rebanadas de jitomate maduro.

wrap de pollo al estragón con aguacate

Pollo Sellado a la Sartén (página 70), 2 tazas (375 g/12 oz), partido en cubos

Limón amarillo, 1

Mayonesa ½ taza (125 ml/ 4 fl oz)

Estragón fresco, 2 cucharadas, picado

Aguacate, 1, partido a la mitad, sin hueso ni piel y toscamente picado

Sal y pimienta negra recién molida

Lavash suaves de 20 cm (8 in) o tortillas de harina, 4

Berros o arúgula (rocket), 1 manojo pequeño, sin los tallos duros

4 PORCIONES

1 Prepare el aderezo

Ralle finamente una cucharadita de ralladura y exprima 1 ½ cucharada de jugo del limón hacia un tazón. Añada la mayonesa y el estragón, mezcle para integrar.

2 Arme la ensalada de pollo

Añada al aderezo el pollo y el aguacate. Mezcle ligeramente para cubrir todos los ingredientes. Sazone al gusto con sal y pimienta.

3 Arme los wraps

Coloque los lavash sobre una superficie de trabajo. Divida la ensalada de pollo uniformemente sobre los 4 lavash, untando hasta casi llegar a las orillas. Forme ramas pequeñas de berros y coloque sobre la ensalada de pollo. Doble el lado derecho e izquierdo de las lavash sobre el relleno, aproximadamente 2.5 cm (1 in) de cada lado y, empezando por la base, enrolle cada uno para formar un cilindro envolviendo el relleno. Sirva.

lomo de puerco asado con salsa a la sartén

LOMO DE PUERCO ASADO

Lomo de puerco sin hueso, 2 kg (4 lb), hecho rollo y lazado

Ajo, 1 diente grande, partido a la mitad

Sal y pimienta recién molida

Mantequilla, 3 cucharadas

Harina, 1 cucharada

Vino blanco seco, 1/4 taza (60 ml/2 fl oz)

Caldo de pollo, 1/4 taza (60 ml/2 fl oz)

4 PORCIONES

rinde aproximadamente 4 tazas (1.75 kg/3 1/2 lb) en total de puerco deshebrado o finamente rebanado

Sólo se necesitan 5 minutos para preparar este lomo de puerco antes de meterlo al horno. Sírvalo rebanado con salsa a la sartén el primer día y utilice los sobrantes para preparar las recetas que se encuentran en las siguientes páginas para algún día de la semana.

1 Prepare el lomo

Precaliente el horno a 230°C (450°F). Seque el lomo con toallas de papel y frote por todos lados con las partes cortadas del diente de ajo. Espolvoree con 2 cucharaditas de sal y 2 de pimienta.

2 Ase el lomo

Acomode el lomo, con la grasa hacia arriba, sobre una rejilla colocada dentro de una charola para asar lo suficientemente grande para darle cabida confortablemente. Ase durante 15 minutos. Reduzca la temperatura a 200°C (400°F) y continúe asando entre 1 y 1 1/4 hora más, hasta que un termómetro insertado en el centro registre entre 63°C y 65°C (145°F-150°F) y que el lomo esté ligeramente rosado en el centro. Pase a una tabla de picar, cubra con papel aluminio y deje reposar 10 minutos.

3 Prepare la salsa a la sartén

Mientras el lomo reposa, retire la rejilla de la charola para hornear y coloque la charola sobre fuego medio. Añada la mantequilla y mezcle con un batidor globo, raspando los pequeños trozos del fondo de la charola para asar. Espolvoree con la harina y cocine, moviendo, alrededor de 2 minutos. Añada el vino y el caldo; mezcle hasta dejar tersa y espesa. Desate y rebane el lomo necesario para una comida. Sirva el lomo bañado con la salsa a la sartén. Deje que el puerco restante se enfríe y almacene para utilizar más adelante. (vea Consejo de Almacenamiento).

consejo de almacenamiento

Para almacenar el lomo de puerco restante y utilizarlo en las recetas siguientes, deje enfriar a temperatura ambiente, envuelva herméticamente en plástico adherente. El puerco se mantendrá más jugoso si lo almacena entero en vez de rebanado. Se conservará fresco en el refrigerador hasta por 2 días.

sugerencia del chef

Las tortas vietnamitas por lo general se preparan con anticipación y se envuelven herméticamente en plástico adherente, para permitir que los sabores se mezclen. Usted puede prepararlas y envolverlas hasta con 4 horas de anticipación, manteniéndolas en refrigeración.

tortas de puerco estilo vietnamita

Lomo de Puerco Asado (página 78), 2 tazas (375 g/12 oz), muy finamente rebanado

Salsa de soya, 2 cucharadas

Ajo, 1 diente grande, picado

Salsa de pescado, 2 cucharaditas

Pan baguette, 1, de alrededor de 60 cm (24 in) de largo, rebanado horizontalmente a la mitad

Mayonesa, ¼ taza (60 ml/ 2 fl oz)

Pepino, 1 pequeño, sin piel y finamente rebanado a lo largo

Zanahorias, 2, sin piel y finamente rebanadas o ralladas

Cebolla morada, 1 pequeña, finamente rebanada

Chile jalapeño, 1, sin semillas y muy finamente rebanado o picado

Cilantro fresco, ¼ taza (10 g/⅓ oz), picado

4 PORCIONES

1 Marine el puerco

En un tazón pequeño mezcle la salsa de soya con el ajo y la salsa de pescado. Deje reposar 5 minutos.

2 Arme la torta

Unte los lados cortados del pan con la mayonesa. Coloque capas de puerco, pepino, zanahoria, cebolla, chile y cilantro en la base del pan. Cierre la torta con la tapa del pan y rebane diagonalmente para obtener 4 tortas individuales.

sopa de tortilla con carne de puerco

Lomo de Puerco Asado (página 78), 1 ½ taza (280 g/9 oz), rebanado

Aceite de maíz, 2 cucharadas

Cebolla morada, 1 pequeña, picada

Ajo, 2 dientes grandes, picados

Chiles chipotles adobados, 1 cucharada, finamente picados

Caldo de pollo, 6 tazas (1.5 l/48 fl oz)

Jitomate en cubos, 1 lata (455 g/14 ½ oz), con su jugo

Cilantro fresco, 4 cucharadas (10 g/⅓ oz), picado

Queso fresco, ½ taza (60 g/2 oz), desmoronado

Aguacate, 1 pequeño, partido a la mitad, sin hueso ni piel, picado en cubos muy pequeños

Tortilla frita en cuadros pequeños, 1 taza (90 g/3 oz)

Limón, 1, cortado en rebanadas

4 PORCIONES

1 Prepare la base de la sopa

En una olla grande sobre fuego medio caliente el aceite. Añada la cebolla y el ajo y saltee durante 4 ó 5 minutos, hasta que la cebolla esté suave. Agregue el chile, caldo y jitomates; integre el puerco. Suba el fuego a medio-alto y deje hervir. Cuando suelte el hervor, reduzca el fuego a medio-bajo, tape parcialmente y deje hervir a fuego lento durante 10 minutos más para mezclar los sabores.

2 Termine la sopa

Incorpore 2 cucharadas de cilantro a la sopa. Sirva en tazones y espolvoree con las 2 cucharadas restantes de cilantro, el queso, aguacate y tortilla frita. Acompañe con las rebanadas de limón.

sugerencia del chef

También puede adornar esta sabrosa sopa con una cucharada de crema ácida, salsa de tomate verde o una cucharada de frijoles negros. En vez de usar queso fresco, utilice queso Monterrey Jack o Chihuahua rallado. Para completar la comida, acompañe la sopa con una ensalada de lechuga francesa, picada y aderezada con una vinagreta de chile y limón.

sugerencia del chef

Los tallarines frescos lo mein o chow mein se pueden usar en vez de los tallarines comerciales secos. Los tallarines frescos se cocinarán en unos cuantos minutos o de acuerdo a las instrucciones del paquete.

lo mein de puerco

1 Cocine los tallarines

Lleve a ebullición una olla grande con agua. Añada una cucharada de sal y los tallarines. Cocine de acuerdo a las instrucciones del paquete, moviendo ocasionalmente para evitar que se peguen, hasta que los tallarines estén al dente. Escurra y reserve.

2 Prepare la salsa

Mientras tanto, en una sartén o en una olla sobre fuego medio caliente el aceite. Añada el ajo y las zanahorias; mezcle para incorporar alrededor de 30 segundos. Integre el caldo, salsa de soya, salsa de ostión y jerez. Agregue el puerco, deje que hierva y cuando suelte el hervor, reduzca el fuego a medio-bajo y cocine, sin tapar, durante 5 minutos.

3 Arme el platillo

Añada los tallarines a la sartén, espolvoree con las cebollitas de cambray y mezcle para integrar. Sazone con sal al gusto y sirva directamente de la sartén.

Lomo de Puerco Asado (página 78), 2 tazas (375 g/12 oz), rebanado

Sal

Tallarines lo mein secos o spaghetti, 375 g (3/4 lb)

Aceite de ajonjolí asiático, 3 cucharadas

Ajo, 3 dientes grandes, finamente picados

Zanahorias, 2, sin piel, partidas longitudinalmente a la mitad y transversalmente muy fino

Caldo de pollo, 3/4 taza (180 ml/6 fl oz)

Salsa de soya, 2 cucharadas

Salsa de ostión, 2 cucharadas

Jerez seco, 1 cucharada

Cebollitas de cambray, 4, únicamente las partes blancas y color verde claro, finamente rebanadas

4 PORCIONES

sirloin asado con vegetales

SIRLOIN ASADO

Filete de sirloin, 2, de aprox. 1 kg (2 lb) cada uno

Sal y pimienta recién molida

Calabacita (courgette), 1, rebanada longitudinalmente en trozos de alrededor de 6 mm (¼ in) de grueso

Berenjena (aubergine), 1 pequeña, rebanada longitudinalmente en trozos de alrededor de 6 mm (¼ in) de grueso

Pimiento (capsicum) naranja o amarillo, 1, sin semillas y rebanado longitudinalmente en 4 partes

Cebolla dulce como la Vidalia, 1 pequeña, rebanada transversalmente en trozos de alrededor de 6 mm (¼ in) de grueso

Aceite de oliva, ¼ taza (60 ml/2 fl oz)

Romero fresco, 1 cucharada, picado (opcional)

4 ó 6 PORCIONES rinde aprox. 6 tazas (1.75 kg/3 ½ lb) en total de rebanadas delgadas de sirloin

Este corte sin grasa lleno de sabor se encuentra en la parte baja de la pierna (tri tip) y es perfecto para hacer en el asador. Utilice un sirloin para servir con verduras asadas ahumadas y el segundo para hacer las recetas que se encuentran en las siguientes páginas.

1 Prepare el sirloin y las verduras

Precaliente un asador de gas o carbón para asar directamente sobre fuego medio-alto o precaliente el asador de su estufa. Sazone el sirloin generosamente con sal y pimienta. Deje reposar a temperatura ambiente durante 10 minutos. Barnice las calabacitas, berenjena, pimiento y cebolla con el aceite. Espolvoree con el romero y sazone con sal y pimienta.

2 Ase el sirloin

Coloque el sirloin sobre la parte más caliente del fuego o debajo del asador. Cubra el asador y cocine, volteando con las pinzas una o dos veces, durante 30 minutos en total para término medio-rojo o hasta obtener el término deseado. Pase un sirloin a una tabla de picar y deje reposar durante 5 ó 10 minutos antes de rebanar. Coloque el segundo corte junto para enfriar, y almacene para usarlo posteriormente (vea Consejo de Almacenamiento).

3 Ase las verduras

Mientras reposa el sirloin, coloque las verduras en la rejilla lejos de la parte más caliente del fuego, o debajo del asador. Ase durante 4 ó 6 minutos, volteando una o dos veces, hasta que estén ligeramente doradas y suaves. Pase a un platón o a la orilla del asador para mantenerlas calientes. Rebane el sirloin finamente en contra del grano y sirva acompañando con las verduras.

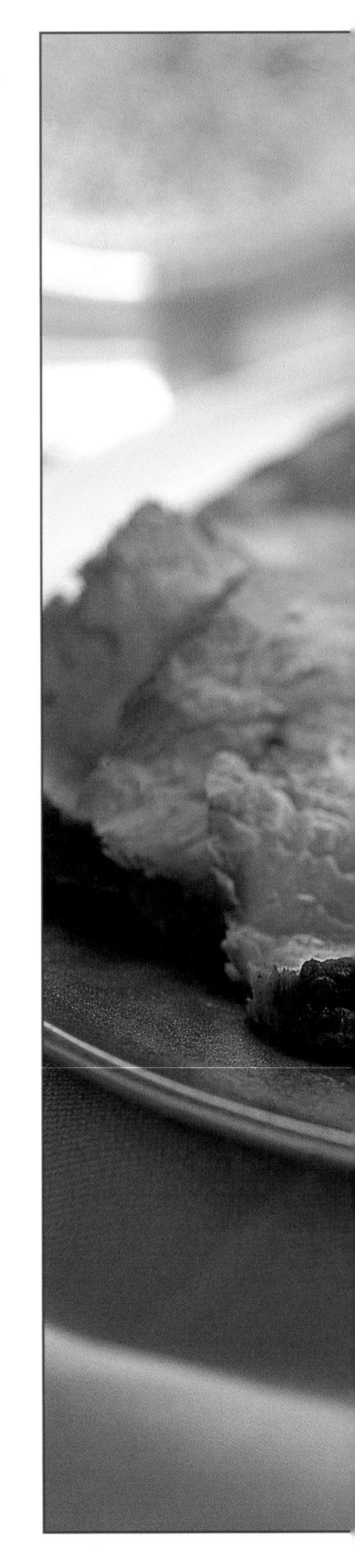

consejo de almacenamiento

Para almacenar el segundo sirloin y preparar las siguientes recetas, deje enfriar a temperatura ambiente, envuelva sin rebanar en papel aluminio. Se conservará fresco en el refrigerador hasta por 2 días. Para recalentar, colóquelo envuelto en el horno a 150°C (300°F) durante 15 minutos.

sugerencia del chef

Puede utilizar 3 ó 4 jitomates deshidratados en aceite, escurridos y cortados en tiras en vez de los pimientos asados.

sándwiches de res y queso de cabra

Sirloin Asado (página 86), 2 tazas (375 g/12 oz), finamente rebanado

Pan campestre crujiente, 8 rebanadas

Queso de cabra fresco suave, 125 g (1/4 lb)

Pimientos (capsicums) rojos asados, 4, rebanados

Vinagre balsámico, 1 cucharada

Hojas de albahaca fresca, 1/4 taza (7 g/1/4 oz), en rebanadas delgadas

4 PORCIONES

1 Tueste el pan

Precaliente el asador. Acomode las rebanadas de pan sobre una charola para hornear con bordes. Tueste ligeramente el pan por un lado durante un minuto, cuidando de que no se queme. Voltee el pan, unte con el queso de cabra y cubra con los pimientos y la carne. Ase cerca de un minuto, hasta que se haya calentado la carne completamente.

2 Arme los sándwiches

Mientras estén aún calientes, rocíe los sándwiches abiertos con el vinagre, espolvoree con la albahaca. Sirva.

salteado de res con salsa de frijol negro

Sirloin Asado (página 86), 2 tazas (375 g/12 oz), finamente rebanado

Aceite de cacahuate, 3 cucharadas

Pimiento (capsicum) rojo asado, 1 grande, sin semillas y finamente rebanado

Chícharos nieve, 1 taza

Cebolla amarilla o blanca, 1, finamente rebanada

Hongos shiitake, 125 g (1/4 lb), rebanados

Hojuelas de chile rojo, 1/4 cucharadita

Salsa china de frijol negro, 1/4 taza (60 ml/2 fl oz)

Sal y pimienta negra recién molida

Arroz al vapor, para acompañar (opcional)

4 PORCIONES

1 Saltee las verduras

En un wok o una sartén para fritura profunda, sobre fuego alto, caliente el aceite. Añada los pimientos, chícharos, cebolla, hongos y hojuelas de chile. Saltee durante 2 ó 3 minutos, hasta que las verduras estén suaves y ligeramente doradas.

2 Termine el platillo

Incorpore la salsa de frijol junto con 2 cucharadas de agua, reduzca el fuego a medio-bajo y cocine a fuego lento durante 2 minutos. Integre la carne y deje hervir a fuego lento durante 1 ó 2 minutos, hasta que se caliente por completo. Sazone al gusto con sal y pimienta; sirva sobre el arroz, si lo usa.

sugerencia del chef

Esta receta se puede convertir fácilmente en una sopa. Añada 2 tazas (500 ml/16 fl oz) de caldo de pollo junto con la salsa de frijol y agua en el punto 2. Hierva ligeramente durante 10 minutos para mezclar los sabores. Asegúrese de probar y sazonar el salteado y la sopa justo antes de servir.

sugerencia del chef

Esta versátil receta de inspiración griega se puede preparar con pollo rostizado en vez de la carne de res. Rebane el pollo finamente antes de añadir a la ensalada. Sirva la ensalada acompañando con pan árabe caliente y baklava de pistache o nuez como postre.

ensalada de res estilo griego

1 Prepare la vinagreta

En un tazón pequeño bata el aceite, jugo de limón, 2 cucharadas de la menta y el ajo. Sazone al gusto con ½ cucharadita de sal y la misma cantidad de pimienta.

2 Arme la ensalada

En un tazón mezcle los berros con la mitad de la vinagreta. Acomode la carne, cebolla, pepino, jitomates, aceitunas y queso sobre los berros y mezcle ligeramente. Divida entre platos de ensalada. Rocíe con la vinagreta restante, espolvoree con la menta restante y sirva.

Sirloin Asado (página 86), 2 tazas (375 g/12 oz), finamente rebanado

---

Aceite de oliva, ½ taza (125 ml/4 fl oz)

Jugo de limón amarillo, de 2 limones

Hojas de menta fresca, 3 cucharadas, picadas

Ajo, 1 diente grande, finamente picado

Sal y pimienta negra recién molida

Berros, 1 manojo grande, sin los tallos duros

Cebolla morada, 1, partida longitudinalmente a la mitad y finamente rebanada

Pepino, 1, partido longitudinalmente a la mitad, sin semillas y rebanado transversalmente muy fino

Jitomates cereza, 1 taza (186 g/6 oz), partidos a la mitad

Aceitunas Kalamata u otras aceitunas negras del Mediterráneo, ¾ taza (105 g/3 ½ oz), sin semilla

Queso feta, 125 g (¼ lb), desmoronado

4 PORCIONES

el cocinero inteligente

Llegar a ser un cocinero inteligente significa que usted pasará menos tiempo en la cocina, pero también podrá sentarse a disfrutar cada día de una completa y deliciosa comida casera. Inicie con una colección de sabrosas recetas y unos cuantos viajes estratégicos para abastecer su alacena y refrigerador. Cuando llegue la hora de preparar la comida, usted podrá cocinar la comida de cada día de la semana en tan solo 30 minutos o menos de principio a fin.

Si mantiene su alacena bien surtida tendrá la base para todas las comidas de la semana. Planee los menús semanalmente y haga una lista detallada para estar siempre en condiciones de cocinar. Ase un lomo de cerdo o ase un sirloin durante el fin de semana y use los sobrantes para preparar otros platillos durante la semana. En las siguientes páginas encontrará docenas de consejos de cómo administrar su tiempo y organizar su cocina, las claves para convertirse en un cocinero más inteligente.

manos a la obra

Si planea sus comidas de la semana y mantiene su despensa y refrigerador bien surtidos, ahorrará tiempo en la cocina. Use las sencillas estratégias descritas a continuación para integrar su menú semanal, organizar sus viajes de compras y aprovechar al máximo su tiempo al cocinar. Entonces no importará que tan apretada esté su agenda diaria, usted podrá preparar sustanciosas comidas para todos los días de la semana fácilmente.

planee sus comidas

- **Revise la semana completa.** Si piensa en la semana completa como una unidad podrá variar sus comidas y hacer todos sus menús interesantes. Mantenga su agenda en mente mientras lo planea. Los días muy ocupadas requerirán de una sopa sencilla, sándwiches o ensaladas, que se pueden preparar rápidamente. Las celebraciones o reuniones casuales con amigos pueden ser una buena excusa para pesentar en la mesa platillos más festivos como las chuletas de puerco braseadas o el tagine de cordero. Varíe cada día de sabor y de técnicas culinarias, como un salteado asiático para un día, una sustanciosa pasta para el siguiente y un filete de puerco estilo suroeste para el tercer día.

- **Involucre a todos.** Pida a los niños y demás miembros de la familia que le ayuden a planear los menús de la semana de manera que disfruten cada instante. Anímelos a ayudar tanto en la preparación como en la limpieza posterior.

- **Piense en la manera de aprovechar los sobrantes.** Prepare una receta sencilla que rinda para tener sobrantes: ase un sirloin, selle pechugas de pollo a la sartén, ase un lomo de puerco. Toma prácticamente el mismo tiempo de preparación que el hacer una porción pequeña, y los sobrantes le ahorrarán bastante tiempo cuando usted deba preparar un sustancioso platillo con rapidez. Use los sobrantes para preparar nuevos platillos con diferentes sabores.

- **Deje que las estaciones sean su guía.** Usted economizará y encontrará mejores ingredientes frescos si compra y cocina de acuerdo a las estaciones. Las verduras y frutas importadas fuera de la temporada, por lo general, son más caras y a menudo les falta ese sabor distintivo de las recién cosechadas. Planee también los menús que concuerden con el clima de la estación: platillos ligeros para la primavera y el verano y reconfortantes cuando el clima se vuelva frío.

PENSANDO EN LAS TEMPORADAS

primavera Sirva platillos ligeros hechos de pollo o ternera sazonados con abundantes hierbas frescas y delicadas como el eneldo, albahaca, perejil y menta. Use verduras frescas como los espárragos, poros, papas cambray así como vegetales verdes de la temporada.

verano Las carnes a la parrilla y las comidas para día de campo como las costillitas y el pollo frito así como los alimentos frescos con atrevidos sabores combinan muy bien con el estilo casual de las comidas servidas en un ambiente cálido. Acompañe los platillos principales con ensaladas de jitomate, mazorcas de elote o verduras asadas como la berenjena (aubergines), cebollas moradas, calabacitas (courgettes) y pimientos (capsicums).

otoño Las carnes asadas y el pollo rostizado anuncian el regreso del clima frío. Celebre la cosecha de la estación con todo tipo de calabazas y tubérculos como papas, pastinaca, betabeles, zanahorias y nabos.

invierno Guisos y braseados llenan la casa con magníficos aromas durante la temporada fría. Acompáñelos con hortalizas verdes salteadas como la col rizada y las acelgas, o con ensaladas preparadas con ingredientes que se encuentran en la estación como la endibias belga (achicoria/francesa) y las peras asiáticas o los cítricos.

afínelo

Una vez que haya decidido cuál será el plato principal de su comida, elija entre una amplia variedad de atractivas guarniciones para afinar su menú. Tenga presente la velocidad y la facilidad de la preparación.

arroz al vapor Busque el aromático arroz blanco o integral de sabor natural para combinar con salteados. Puede prepararlo con anticipación y refrigerarlo en bolsas de plástico con cierre hermético.

papas Hornee papas russet o camote dulce para preparar una sencilla y económica guarnición para los platillos con carne. Las papas russet y Yukon doradas también se pueden machacar bien convirtiéndose en una deliciosa guarnición para braseados y guisos. Mezcle pequeñas papas como las fingerling o papas rojas con aceite de oliva, sal, pimienta y romero picado antes de asarlas.

granos enteros Busque bulgur o trigo de grano entero, quinoa u otros granos nutritivos para preparar guarniciones llenas de sabor. Saltee los granos en un poco de aceite de canola o mantequilla hasta que desprendan su aroma a nuez. Añada agua caliente o caldo, cubra herméticamente y deje cocer a fuego lento hasta que los granos estén suaves.

cuscús El cuscús instantáneo, que se consigue saborizado o al natural, toma menos de 10 minutos de preparación. Aunque comúnmente se sirve caliente, también se puede comer frío: mezcle con cebollitas de cambray picadas y rocíe con una vinagreta ligera para una ensalada veraniega sencilla.

polenta Cocine una ración doble de polenta instantánea y sirva la mitad para la comida. Ponga el sobrante en un refractario ligeramente engrasado con aceite, déjelo enfriar, cubra y refrigere. Corte la polenta en triángulos o cuadros y ase o fría hasta dorar por ambos lados.

ensaladas Varíe sus hortalizas y aderezos: rebanadas delgadas de pepinos y col morada rallada servida con un aderezo agridulce de eneldo para acompañar salchichas estilo alemán; o arúgula (rocket) y achicoria rebanada con una vinagreta de balsámico para acompañar un platillo italiano. Prepare aderezo adicional y refrigere para servir en alguna otra comida.

jitomates Rebane jitomates frescos y maduros de verano y acomódelos sobre un platón. Justo antes de servir, espolvoree con sal de mar y pimienta y aderece con un aceite afrutado o un alioli a las hierbas. Si lo desea, intercale hojas de albahaca fresca entre las rebanadas y cubra con rebanadas delgadas de queso mozzarella fresco o queso feta desmoronado.

verduras frescas Usted puede cocer al vapor, blanquear o asar diferentes vegetales con un día de anticipación y recalentarlas en una sartén rociadas con aceite de oliva o con un trozo de mantequilla a la hora de la comida. O mézclelas con almendras fileteadas o hierbas frescas, aderece con aceite de oliva y jugo de limón o con alguna vinagreta y sírvalas a temperatura ambiente.

verduras asadas La coliflor, los espárragos y los pimientos (capsicums) se pueden asar a temperaturas altas. Mezcle con aceite de oliva, sal y pimienta y ase acomodándolas en una sola capa sobre una charola de hornear y hornee durante 10 ó 20 minutos a 220°C (425°F), moviéndolas ocasionalmente, hasta que estén suaves y doradas. Pele tubérculos, corte en cubos y ase de manera similar a 180°C (350°F).

hortalizas verdes cocidas Saltee acelgas, espinacas u hojas de betabel con un poco de aceite de oliva. Ralle o pique hortalizas más duras como la col rizada y la col breza, añada un poco de caldo, tape y cocine moviendo ocasionalmente hasta que estén suaves.

pan artesanal Caliente pan francés crujiente o una hogaza de pan estilo italiano y sirva con mantequilla o aceite de oliva a temperatura ambiente. Para preparar pan con ajo, mezcle mantequilla derretida con ajo finamente picado al gusto. Rebane una baguette horizontalmente y barnice con la mantequilla de ajo. Envuelva en papel aluminio y coloque en el horno a 150°C (300°F), hasta que el pan esté crujiente y caliente.

ejemplos de comidas

Estos platillo están divididos en tres categorías para ayudarle a planear sus menús semanales. Dependiendo de su horario, usted puede mezclar y combinar las diferentes columnas. Es buena idea cocinar porciones dobles de sus recetas favoritas durante el fin de semana para poder disfrutar del mismo platillo cualquier otro día de la semana.

PARA CUALQUIER DÍA DE LA SEMANA	COMIDAS DE DOMINGO	PARA RECIBIR INVITADOS
Penne con Albahaca y Piñones (página 18) Jitomates rebanados con vinagre balsámico y aceite de oliva **Pollo Frito al Horno** (página 62) Puré de papa al cebollín Brócoli al vapor con mantequilla de limón **Salteado de Res y Espárragos** (página 17) Arroz al vapor con cilantro **Salchichas Braseadas a la Cerveza con Col Morada** (página 50) Pan de centeno oscuro Ensalada de pepino con eneldo **Milanesa de Puerco con Arúgula** (página 14) Rebanadas de camote dulce asado **Pollo al Jengibre con Cebollitas de Cambray** (página 13) Arroz al vapor Chícharos nieve	**Guisado de Puerco estilo Portugués** (página 53) Pan crujiente Hortalizas verdes con vinagreta **Costillitas Sazonadas** (página 65) Ensalada de col Mazorcas de elote **Arroz con Pollo** (página 54) Ensalada de aguacate, jitomate y cebolla morada **Lomo de Puerco Enchilado con Salsa de Elote** (página 23) Rebanadas de camote asado Frijoles pintos **Filete a la Pimienta** (página 30) Calabacitas (courgettes) salteadas Puré de papa al ajo **Pollo Braseado con Jitomate y Tocino** (página 42) Polenta cremosa	**Tagine de Cordero con Chabacanos y Almendras** (página 66) Cuscús Ensalada de naranja, cebolla dulce y aceitunas **Lomo de Puerco Asado con Salsa a la Sartén** (página 78) Papas rojas asadas Hortalizas braseadas con ajo **Pollo en Salsa de Naranja con Vino Riesling** (página 10) Arroz pilaf salvaje Brócoli rabé salteado **Guisado de Res Balsámico** (página 57) Tallarines de huevo a la mantequilla Ensalada de espinaca con piñones tostados y vinagreta **Piccata de Ternera** (página 21) Focaccia a las hierbas Ejotes salteados a las hierbas

HÁGALO FÁCIL

Prepare con anticipación. Hágase el hábito de preparar sus ingredientes la noche anterior, ya sea picando verduras, aplanando chuletas de ternera, preparando marinadas o insertando cubos de carne en brochetas. Conserve los ingredientes en recipientes herméticos dentro del refrigerador hasta el momento de usar.

Use los utensilios adecuados Es indispensable un juego de buenos cuchillos para trabajar eficientemente en la cocina. Empiece con un cuchillo para chef de 20 cm (8 in), un cuchillo mondador, un cuchillo de sierra para pan, así como un afilador de cuchillos (chaira). También necesitará una sartén de buena calidad, una sartén para asar con parrilla y algunas ollas de base gruesa de diferentes tamaños.

Prepare sus ingredientes Cuando empiece a preparar una receta tenga a la mano y pese o mida todos los ingredientes. De esta manera no tendrá que buscar en su despensa a última hora semillas de ajonjolí o vinagre de sidra y los anaqueles no estarán desordenados con empaques ni frascos. Elija un juego de tazones pequeños en diferentes tamaños para reservar los ingredientes.

Limpie mientras trabaja Mantenga su cocina organizada limpiando a medida que cocine. Empiece con una cocina limpia y una lavadora de platos vacía y organícese para tener a la mano algunos trapos de cocina limpios. Guarde los ingredientes a medida que los use, limpie la superficie de trabajo a menudo y ponga las sartenes y tazones usados en el fregadero una vez que termine de usarlos. Llene las sartenes sucias con agua caliente para que se remojen mientras usted come; cuando regrese a la cocina cualquier residuo de comida será más fácil de tallar.

atajos

En aquellos días en que no tenga tiempo suficiente para cocinar todo, usted puede encontrar múltiples alimentos sabrosos y completos en un supermercado bien surtido para completar su menú.

- **Pollo rostizado** Compre suficiente pollo para dos comidas. El primer día sírvalo acompañado con pan crujiente y una ensalada sencilla. En otra ocasión, retire los huesos y piel del pollo, deshebre la carne y mezcle con pasta y verduras, o use para preparar una ensalada de pollo.

- **Salchichas cocidas** Tenga siempre en el refrigerador o congelador salchichas con base de carne o ave cocida como las de pollo con manzana, las italianas o kielbasa. Fríalas en la sartén hasta que estén completamente calientes y ligeramente doradas, rebane longitudinalmente y acompañe con cebollas y pimientos salteados o sobre bollos calientes o rebanadas de baguettes.

- **Brochetas marinadas** La mayoría de las carnicerías o supermercados venden brochetas de carne de res, puerco o cordero premarinadas. Ase al carbón o a la parilla y sirva con pan árabe caliente o cuscús de cocimiento instantáneo.

- **Frittata** Asegúrese de tener siempre suficientes huevos para preparar comidas de última hora. Para un plato principal rápido, saltee verduras cocidas y picadas o carnes en aceite de oliva hasta que estén cocidas o bien calientes. Agregue huevos batidos, sal y pimienta y cocine, sin mover y levantado las orillas para que el huevo crudo pase por debajo, hasta que estén casi cuajados. Cubra con queso parmesano rallado y coloque sobre un asador o salamandra durante uno o dos minutos hasta cuajar completamente y dorar la superficie. Voltee la sartén sobre un plato, corte en rebanadas y acompañe con una ensalada.

- **Quesadillas** Tenga tortillas de harina en el refrigerador para preparar quesadillas (página 79) o tacos utilizando queso y sobrantes de pollo, rebanadas de salchicha o verduras. Abastézcase de salsa, arroz y frijoles refritos enlatados, ya sea pintos o negros, para completar el menú.

- **Sándwiches abiertos** Apile sobrantes de carne o verduras sobre rebanadas de pan crujiente para preparar sándwiches abiertos. Cubra con rebanadas de queso mozzarella o provolone fresco y ase hasta que se derrita el queso.

la compra inteligente

Si usa ingredientes frescos de la mejor calidad podrá obtener deliciosos platillos y una alimentación saludable. Busque una carnicería, frutería y supermercado confiables que tengan productos de alta calidad y un buen servicio. Llame con anterioridad y haga su pedido de manera que se lo tengan listo para que pueda recogerlo de camino a casa. Visite los mercados de granjeros con regularidad para conseguir las verduras y frutas más frescas de la localidad y saber lo que está en temporada.

- **Frutas y verduras** Busque frutas y verduras cultivadas en la localidad siempre que le sea posible para obtener un mejor sabor y alimentos más saludables. Los artículos importados, por lo general, han sido cosechados antes de estar maduros y rara vez logran obtener el mejor sabor. Las hortalizas y hierbas deben ser de color brillante y no deben tener orillas oscuras, marchitas ni amarillentas. Los tubérculos como la zanahoria y el betabel deben sentirse sólidos, no aguados, y las demás verduras como los pepinos, berenjenas (aubergines) y calabacitas (courgettes) deben estar firmes al tacto y con pieles firmes. Si hay un mercado de granjeros en su localidad hágase el hábito de visitarlo una vez a la semana para mantenerse al día. De esta manera aprenderá a conocer los artículos de temporada y a menudo encontrará las mejores ofertas en perecederos.

- **Carne** Busque carne con un buen color uniforme y ninguna señal de resequedad en las orillas. La grasa debe ser blanca brillante y no grisácea y la carne deberá tener un olor a fresco. Una buena idea es pedir a su carnicero que limpie, muela, pique o deshuese ciertos productos cuando sea necesario de manera que ahorre tiempo en la cocina. Muchas carnicerías hoy en día tienen carne de res, puerco y cordero orgánica y/o de animales alimentados con pastura. Pruebe y compare lo que le ofrecen para descubrir el sabor que más le agrade. Aunque la mayoría del puerco actualmente ha sido alimentado para obtener menos grasa (muchas veces a expensas de humedad y suavidad), algunos procedimientos especializados en puerco están regresando a la alimentación de antaño, cuya carne ofrece un sabor y textura distintivos y deliciosos. Pregunte a su carnicero(a) si tiene carne de puerco con ese tipo de alimentación.

- **Aves** La piel tersa, carne firme, grasa blanca o amarilla y un olor a fresco, son los atributos de calidad en las aves. Un buen carnicero estará dispuesto a deshuesar y dividir un pollo o a moler pavo fresco para usted. Experimente con los diferentes tipos de aves disponibles como la kosher, la orgánica, la alimentada a la antigua o la de granja; posteriormente compre la de su preferencia.

HAGA UNA LISTA DE COMPRAS

prepare con anticipación Haga una lista de lo que necesita comprar antes de ir de compras y ahorrará tiempo en la tienda.

haga una plantilla Haga una plantilla y llene durante la semana antes de ir de compras.

clasifique su lista Use las siguientes categorías para mantener su lista organizada: despensa, frescos y de ocasión.

- **artículos de despensa** Revise la despensa y haga una lista de los artículos que debe comprar para hacer las recetas que planea cocinar durante la semana.
- **ingredientes frescos** Estos son para uso inmediato e incluyen frutas y verduras, pollo, carnes y algunos quesos. Quizás necesite ir a diferentes tiendas o secciones del supermercado por lo que debe dividir la lista en sub-categorías como frutas y verduras, lácteos y carnes.
- **artículos ocasionales** Esta es una lista para los artículos refrigerados que se reponen según sea necesario como la mantequilla y los huevos.

sea flexible Esté dispuesto a cambiar los menús basándose en los ingredientes más frescos del mercado.

aproveche su tiempo al máximo

Una vez que haya planeado su menú semanal puede empezar a organizar su tiempo. Haga sus compras y trabajo de preparación por adelantado y estará listo para cocinar cuando llegue el momento de comer.

- **Abastézcase.** Evite compras de última hora o falta de ingredientes manteniendo su alacena bien surtida. Apunte en su lista de compras siempre que se le esté terminando algún alimento básico. También tenga una buena dotación de ingredientes básicos no perecederos de manera que pueda improvisar una comida o una guarnición rápida cuando se requiera. Vea las páginas 98 y 99 si desea sugerencias.

- **Compre menos.** Haga su lista de compras cuando haga su plan semanal de comidas para adquirir los alimentos básicos que usted necesita para la semana en un solo viaje. Si sabe que va a estar presionado durante la semana, compre su carne y pollo junto con los alimentos básicos y almacene y congele lo que no va a usar en los siguientes días.

- **Hágalo con anticipación.** Haga todo lo que pueda por anticipado cuando tenga tiempo libre. Lave, pele y pique las verduras, almacénelas en bolsas de plástico o recipientes con cierre hermético. Aplane el pollo o las chuletas de cerdo, envuelva herméticamente con plástico adherente y refrigere. Prepare marinadas o aderezos para ensalada y almacene en refrigeración. Cocine guarniciones como arroz, polenta o verduras al vapor y almacene siempre en recipientes herméticos hasta que los necesite. Revise sus ingredientes y utensilios la noche anterior para que pueda encontrar todo fácilmente cuando empiece a cocinar.

- **Duplique.** En vez de servir una versión recalentada del mismo platillo al siguiente día, duplique la preparación básica del platillo. Por ejemplo, ase dos pollo o dos lomos de puerco. Prepare uno para esta comida de acuerdo a la receta y reserve el segundo para preparar una sopa sustanciosa o una ensalada para el siguiente día.

- **Cocine de manera más inteligente.** Antes de empezar a cocinar lea la receta con cuidado. Visualice las técnicas y revise la receta paso a paso en su mente. Si tiene amigos o familia a la mano, piense cómo le pueden ayudar, ya sea pelando zanahorias, preparando una ensalada o poniendo la mesa.

UTENSILIOS PARA AHORRAR TIEMPO

procesador de alimentos Este caballo de batalla de la cocina moderna es muy bueno para picar, rallar y rebanar verduras. Un procesador de alimentos pequeño es muy útil para picar finamente una pequeña cantidad de ajo o hierbas frescas, mientras que el modelo regular es eficiente para picar cebollas, hacer pesto y rallar queso o zanahorias.

sartén para asar ¿No tiene tiempo para encender su asador? Esta sartén de fondo acanalado y grueso se usa sobre la estufa y produce verduras y carnes con atractivas marcas, proporcionando prácticamente el mismo sabor que si se cocinaran sobre una parrilla al aire libre. Para asegurarse de que los alimentos estén bien sellados, siempre precaliente la sartén sobre fuego alto por lo menos durante 5 minutos antes de agregar los alimentos.

secador de lechuga Lave y seque sus hortalizas utilizando un implemento eficiente. Ya sea que su secador de lechuga utilice una bomba, manija o un cordón que se jala, la fuerza centrífuga que hace girar las hortalizas le proporcionará una ensalada crujiente y seca cada vez que lo utilice.

hierbas secas Algunas hierbas secas, incluyendo el tomillo seco, el romero y la salvia, se pueden usar con éxito cuando no se tiene a la mano hierbas frescas. Sin embargo, su sabor es más concentrado por lo que se debe utilizar la mitad o una tercera parte de la cantidad de frescas.

cuchillos filosos Usted preparará sus ingredientes el doble de rápido si no tiene que luchar con un cuchillo sin filo. Es buena idea tomar uno o dos minutos para afilar sus cuchillos antes de guardarlos, de manera que estén listos para usarse la próxima vez que cocine.

la cocina bien surtida

Organice y abastezca su despensa, refrigerador y congelador y podrá llevar su comida a la mesa con más facilidad. Si está seguro de lo que tiene y de lo que necesita en su cocina, hará menos viajes al supermercado y tardará menos tiempo en él.

En las siguientes páginas encontrará una guía fácil de usar con todos los ingredientes que necesita para preparar las recetas de este libro. También encontrará bastantes consejos para mantenerlos frescos y bien almacenados. Revise su cocina con estas listas para saber lo que tiene y lo que debe comprar o reemplazar cuando vaya de compras. Surta y ordene su cocina hoy y tendrá más tiempo para disfrutar con su familia y amigos alrededor de la mesa.

la despensa

Por lo general, la despensa es un closet o una o más alacenas en donde se almacenan hierbas secas y especias, condimentos en frascos o latas, aceites y vinagres, granos y pastas, así como alimentos frescos como papas, cebollas, ajo, jengibre y chalotes. Asegúrese de que su despensa esté fresca, seca y oscura cuando no se use, ya que el calor o luz directa pueden estropear el sabor de sus hierbas y echar a perder sus granos y aceites.

surta su despensa

- Haga un inventario de su despensa usando la lista de Alimentos Básicos.
- Retire todo de la despensa; limpie las tablas y vuelva a cubrir con papel, si fuera necesario, y organice los artículos por categoría.
- Deseche los artículos que han caducado o que tengan apariencia u olor dudoso.
- Haga una lista de los artículos que tiene que sustituir o comprar.
- Compre los artículos de su lista.
- Vuelva a abastecer su despensa organizando los productos por categoría.
- Escriba la fecha de compra en los artículos perecederos y etiquete los artículos a granel.
- Mantenga los alimentos básicos que usa a menudo al frente de la despensa.
- Mantenga las hierbas secas y especias en recipientes separados y de preferencia en un organizador, tablas o cajón especial para especias y hierbas.

manténgala ordenada

- Revise las recetas que planea hacer en la semana y examine su despensa para asegurarse de que tiene todos los ingredientes que va a necesitar.
- Rote los productos cuando se abastezca, pasando los que tienen más tiempo hacia adelante de la despensa para usarlos primero.
- Haga una lista de los productos que vaya usando para que los pueda reemplazar.

ALMACENANDO EN SU DESPENSA

hierbas secas y especias Las hierbas secas y especias empiezan a perder su sabor aproximadamente después de 6 meses, por lo que debe comprarlas en pequeñas cantidades y reemplazarlas continuamente. Almacene en recipientes herméticos.

aceites Almacene las botellas de aceite sin abrir a temperatura ambiente en un lugar fresco y oscuro. Los aceites se mantendrán frescos hasta por un año pero su sabor disminuye con el tiempo. Almacene las botellas abiertas hasta por 3 meses a temperatura ambiente o en el refrigerador hasta por 6 meses.

granos y pasta Almacene los granos en recipientes herméticos hasta por 3 meses. La vida de anaquel de la mayoría de las pastas secas es de un año. Aunque se pueden comer después de ese tiempo, habrán perdido su sabor. Una vez que haya abierto el paquete guarde lo que no utilizó en un recipiente hermético.

alimentos frescos Almacene en un lugar fresco y oscuro y revise ocasionalmente por si se estropean o tienen brotes. No guarde las papas junto a las cebollas; cuando se ponen juntas producen gases que aceleran su deterioro.

alimentos enlatados Deseche los alimentos enlatados cuando la lata muestre expansión. Una vez que haya abierto una lata pase el contenido que no haya usado a un recipiente hermético y refrigere.

ALIMENTOS BÁSICOS DE LA DESPENSA

GRANOS Y PASTAS

- arroz basmati
- arroz blanco de grano largo
- cornmeal
- cuscús
- fideo asiático de arroz (vermicelli)
- lo mein
- pan molido
- penne
- spaghetti

ALIMENTOS FRESCOS

- aguacates
- ajo
- cebollas (moradas, dulces, amarillas o blancas)
- chalotes
- jengibre
- jitomates
- papas (rojas, blancas, yukon doradas)

LICORES

- brandy
- cerveza ale u oscura
- cognac
- jerez seco
- mirin
- oporto
- sake
- tequila
- vino blanco seco y afrutado
- vino marsala
- vino tinto de cuerpo entero
- whiskey bourbon

ACEITES

- aceite asiático de ajonjolí
- aceite de cacahuate
- aceite de canola
- aceite de maíz
- aceite de oliva

VINAGRES

- vinagre balsámico
- vinagre de arroz
- vinagre de malta
- vinagre de sidra
- vinagre de vino tinto

CONDIMENTOS

- chutney de mango
- mayonesa
- mostaza con miel
- mostaza Dijon
- salsa asiática de pescado
- salsa de frijol negro
- salsa de ostión
- salsa de soya
- salsa hoisin
- salsa inglesa

NUECES Y FRUTAS SECAS

- almendras
- cacahuates
- cerezas
- chabacanos
- dátiles
- nuez de la India
- piñones

HIERBAS SECAS Y ESPECIAS

- azafrán
- canela molida y en raja
- comino molido
- chile ancho en polvo
- garam masala
- granos de pimienta negra
- hojas de laurel
- hojuelas de chile rojo
- páprika
- semillas de ajonjolí
- semillas de alcaravea
- semillas de cilantro molidas
- semillas de comino
- semillas de mostaza

ALIMENTOS ENLATADOS O EN FRASCO

- aceitunas Kalamata
- alcaparras
- caldo de pollo
- caldo de res
- chiles chipotle en adobo
- jitomates
- jitomates deshidratados en aceite
- miel de abeja
- pesto
- pimientos (capsicums) rojos asados

VARIOS

- azúcar
- harina
- melaza
- tortillas

el refrigerador y el congelador

Una vez que haya surtido y organizado su despensa, puede usar los mismos lineamientos para ahorrar tiempo en su refrigerador y congelador. El refrigerador, usado para almacenar durante poco tiempo a temperatura baja, es ideal para mantener frescas sus carnes, aves, lácteos, verduras y sobrantes. Si congela sus alimentos de la manera adecuada mantendrá gran parte del sabor de la carne, aves y muchos platillos preparados durante varios meses.

consejos generales

- Los alimentos pierden sabor en refrigeración, por lo que es importante un almacenamiento adecuado y una temperatura de menos de 5°C (40°F).
- Congele los alimentos a -18°C (0°F) o menos para retener el color, textura y sabor.
- Para evitar quemaduras por congelación use solamente envolturas a prueba de humedad como papel aluminio, recipientes de plástico con cierre hermético o bolsas de plástico con cierre hermético.
- No amontone los alimentos en el refrigerador. El aire debe circular libremente para mantener los alimentos uniformemente fríos.

almacenamiento de sobrantes

- Puede almacenar la mayoría de sus platillos principales preparados en un recipiente hermético dentro del refrigerador hasta por 4 días o en el congelador hasta por 4 meses.
- Revise el contenido del refrigerador por lo menos una vez a la semana y deseche rápidamente los alimentos viejos o echados a perder.
- Deje que los alimentos se enfríen a temperatura ambiente antes de meterlos al refrigerador o congelador. Pase los alimentos fríos a una bolsa de plástico con cierre hermético o a un recipiente de vidrio dejando lugar para que se expandan al congelarse. O coloque en una bolsa de plástico con cierre hermético para congelar sacando la mayor cantidad de aire que le sea posible antes de cerrarla.
- Congele algunos de los platos principales en porciones pequeñas para cuando necesite calentar lo suficiente para una o dos personas.
- Descongele los sobrantes congelados en el refrigerador o en el microondas. Para evitar que se contaminen con bacterias, nunca descongele a temperatura ambiente.

CONGELANDO Y DESCONGELANDO

- Para obtener el mejor sabor y textura congele las aves y la carne cruda sólo durante 6 meses.
- Etiquete cada paquete o empaque con la fecha y contenido antes de colocarlos en el congelador.
- Siempre descongele la carne y las aves crudas en el refrigerador y nunca a temperatura ambiente o bajo el chorro de agua caliente.

MANTÉNGALO ORGANIZADO

limpie primero Retire todos los artículos y lave el refrigerador a conciencia con agua jabonosa caliente y enjuague bien con agua limpia.

revise sus artículos Revise la fecha de caducidad de los artículos en el refrigerador y deseche aquellos que hayan pasado de esa fecha.

fecha de compra Etiquete los artículos que planee mantener durante más de unas semanas escribiendo la fecha directamente sobre el paquete o sobre un trozo de masking tape.

PRODUCTOS BÁSICOS DEL REFRIGERADOR

FRUTAS Y VERDURAS

apio

arúgula (rocket)

bulbos de hinojo

cebollitas de cambray

col morada

champiñones

chícharos nieve

chiles jalapeños

espárragos

limones agrios

limones amarillos

naranjas

pepinos

pimientos (capsicums)

poros

uvas rojas

zanahorias

CARNES CURADAS

jamón

prosciutto

tocino

LÁCTEOS

buttermilk

crema espesa

huevos

leche

mantequilla sin sal

yogurt simple

quesos: fresco de cabra, feta, fontina, queso fresco, parmesano

almacenamiento de hierbas y verduras frescas

- Corte las bases de un manojo de perejil, coloque el manojo en un vaso con agua, cubra las hojas holgadamente con una bolsa de plástico y refrigere. Envuelva las demás hierbas frescas en toallas de papel húmedas, coloque en una bolsa de plástico y almacene en el cajón de verduras de su refrigerador. Enjuague y retire los tallos de todas las hierbas antes de usarlas.

- Almacene los jitomates y berenjenas (aubergines) a temperatura ambiente.

- Corte aproximadamente 12 mm (½ in) de la base de cada espárrago; coloque los espárragos, con la punta hacia arriba, en un vaso con agua fría; refrigere cambiando el agua diariamente. Los espárragos durarán frescos hasta por una semana.

- Enjuague las hortalizas como la acelga, seque en un secador de lechuga, envuelva en toallas de papel húmedas y almacene en una bolsa de plástico con cierre hermético dentro del cajón de verduras de su refrigerador hasta por una semana. Por lo general, almacene las demás verduras en bolsas de plástico con cierre hermético dentro del cajón de verduras de su refrigerador y enjuáguelas antes de usarlas. Los vegetales duros durarán frescos una semana; los más delicados únicamente durarán algunos días.

almacenamiento de queso

- Envuelva todos los quesos perfectamente para evitar que se sequen. Los quesos duros como el parmesano tienen menos contenido de humedad por lo que duran más tiempo que el queso feta o el queso fresco. Use los quesos frescos en un par de días. Almacene los quesos suaves y semi suaves, como el queso Fontina, hasta por dos semanas y los quesos duros hasta por un mes.

almacenamiento de carne y pollo

- Utilice la carne y las aves frescas en los 2 primeros días de haberlas comprado. Si utiliza carne empacada revise la fecha de caducidad y use antes de esa fecha. La mayoría de los pescados y mariscos se deben utilizar el día en que se compran.

- Para evitar la contaminación cruzada con los demás alimentos, siempre coloque las carnes empacadas sobre un plato en la parte más fría del refrigerador. Una vez que haya abierto el paquete, deseche la envoltura original y vuelva a envolver las porciones sobrantes en envoltura nueva.

Índice

DEGUSTIS
Un sello editorial de
Advanced Marketing S. de R.L. de C.V
Importado y publicado en México en 2007 por
/Imported and published in Mexico in 2007 by
Advanced Marketing, S. de R.L. de C.V.
Calzada San Francisco Cuautlalpan No. 102 Bodega "D"
Col. San Francisco Cuautlalpan Naucalpan de Juárez
Edo. México, C.P. 53569

WILLIAMS-SONOMA
Fundador y Vice-presidente Chuck Williams

SERIE COCINA AL INSTANTE DE WILLIAMS-SONOMA
Ideado y producido por Weldon Owen Inc.
814 Montgomery Street, San Francisco, CA 94133
Teléfono: 415 291 0100 Fax: 415 291 8841

En colaboración con Williams-Sonoma, Inc.
3250 Van Ness Avenue, San Francisco, CA 94109

Fotógrafo Bill Bettencourt
Estilista de Alimentos Jen Straus
Asistente de Fotografía Angelica Cao
Asistente de Estilista de Alimentos Alexa Hyman
Escritora del texto Stephanie Rosenbaum

Library of Congress Cataloging-in-Publication data
ISBN-13: 978-970-718-558-6
Título Original / Original Title: Comidas sencillas / Simple Suppers

WELDON OWEN
CEO, Weldon Owen Group John Owen
CEO y Presidente, Weldon Owen Inc. Terry Newell
CFO, Weldon Owen Group Simon Fraser
Vicepresidente de Ventas y Desarrollo de Nuevos Proyectos Amy Kaneko
Vicepresidente y Director de Creatividad Gaye Allen
Vicepresidente y Editor Hannah Rahill
Director de Arte Senior Kyrie Forbes Panton
Editor Senior Kim Goodfriend
Editor Lauren Hancock
Diseñador Senior y Director de Fotografía Andrea Stephany
Diseñador Britt Staebler
Director de Producción Chris Hemesath
Director de Color Teri Bell
Coordinador de Producción Todd Rechner

UNA PRODUCCIÓN DE WELDON OWEN

Impreso en Formata
Primera impresión en 2007
10 9 8 7 6 5 4 3 2 1
Separaciones en color por Bright Arts Singapore
Impreso por Tien Wah Press

Fabricado e impreso en Singapur
/ Manufactured and printed in Singapore

RECONOCIMIENTOS
Weldon Owen agradece a las siguientes personas por su generosa ayuda para producir este libro: Heather Belt, Kevin Crafts, Ken DellaPenta, Judith Dunham, Denise Lincoln, Lesli Neilson y Sharon Silva.

UNA NOTA SOBRE PESOS Y MEDIDAS

Todas las recetas incluyen medidas acostumbradas en los Estados Unidos y medidas del sistema métrico. Las conversiones métricas se basan en normas desarrolladas para estos libros y son aproximadas. El peso real puede variar.